Katarzyna Grochola
Nigdy w życiu!

D0970030

w cyklu

żaby i anioły

Nigdy w życiu!
Serce na temblaku
(w przygotowaniu)

Katarzyna Grochola
Nigdy w życiu!

Warszawa

Mojej Matce,
Mojej Córce
oraz Pewnemu Mężczyźnie

Liżę rany

Jestem porzuconą kobietą. Porzuconą kobietą z dzieckiem. Z córką. Nastoletnią. Czy to znaczy, że jestem stara? W żadnym wypadku. Po prostu to moja córka Tosia jest stara. Tosia mówi mi, żebym się nie przejmowała.

Że jak mieliśmy się rozstać, to lepiej teraz niż za dziesięć lat. Też myślała, że świat się kończy, jak Andrzej z ósmej C powiedział, że już jej nie kocha. A przeżyła. I teraz ma go gdzieś. Tak samo będzie ze mną. Przecież możemy się przyjaźnić. Jak na filmach amerykańskich, a o nią żebym się nie martwiła, bo on jej powiedział, że zawsze będzie jej ojcem.

O Boże, dlaczego mnie to spotkało? Dlaczego mój mąż nie chodzi do ósmej C? Wtedy by na pewno nie zrobił dziecka innej kobiecie. Powinien chodzić do ósmej C. Przecież jest na tym samym poziomie emocjonalnym, co Andrzejek od mojej Tosi!

Nienawidzę go.

Wszyscy oni są tacy sami.

*

Ilekroć myślę o rzeczach nieprzystojnych, słyszę ulubione słowa mojej mamy:

„Judyto, jakże to tak? Tak cię wychowywałam?"

Dawno już jestem wychowana.

Jakieś trzydzieści parę lat minęło od chwili, kiedy ten proces powinien się był zakończyć, ale on trwa.

O matko!

Nie dość, że dali mi takie imię – Judyta! – to jeszcze mi sprawili braciszka. I próbowali wychowywać. Nie byłam wychowywana na niegrzeczną pannicę, która ma nieprzystojne myśli. Miałam sprzątać po sobie klocki (zabawki, lalki, rajstopy, majtki, książki, szklanki po herbacie, popielniczkę, kieliszki, butelki itd.). Mówić grzecznie dzień dobry, do widzenia, przepraszam, proszę, dziękuję. Myć ręce przed jedzeniem i najlepiej również po. Nie odpowiadać niepytana. Być dobra dla braciszka. Z braciszkiem miałam kłopot – chętnie bym go wyprowadziła do lasu i tam zostawiła na zawsze. Zapakowała do chaty na kurzej nóżce. Zamieniła w jelonka. Oddała Królowej Śniegu. Zjadła. Potem bym go uratowała i przyprowadziła z powrotem. Stałabym się bohaterką rodzinną i wtedy kochaliby mnie bardziej.

A potem by dorósł i wyprowadził się na drugi koniec świata. Wtedy kochaliby mnie jeszcze bardziej.

Jak można się było spodziewać, nie wyprowadziłam braciszka do lasu. Nikt go nie zjadł, nie upiekł, nie zamroził. Nie musiałam go odmrażać.

Postanowiłam szczerze i otwarcie o tym pomyśleć, zatykając uszy na słowa mojej mamy: „Mój Boże, nie tak cię wychowywałam".

Braciszek przetrwał w tych trudnych warunkach i jest malarzem. Kocham go i nie muszę go już nigdzie wyprowadzać. Sam się wyniósł na drugi koniec świata. Kochają go teraz jeszcze bardziej, bo jest daleko. A moje nieprzystojne myśli głównie mi się w tej chwili wiążą z mężem, który po prostu kicnął sobie na boczek i zrobił dzidziusia Joli. Jola jest kobietą. Jest potwornie brzydka. Ma złoty ząb. Wąskie usta. Jest stara i pomarszczona. Ma krzywe nogi. I najlepiej, żeby w ogóle nie miała biustu. Podły charakter. Świńskie oczka. Tak lubię sobie o niej pomyśleć.

Jola, ku mojej rozpaczy, prezentuje się świetnie. Ma znakomitą figurę (może ciąża ją lekko nadweręży – będę optymistką). Mówi biegle trzema językami. Używa kremów na noc i na pewno nie pali w łóżku. Mam nadzieję, że w końcu jej się połamią zęby i dentysta w zamroczeniu pomrocznym – czy coś takiego – nałoży jej złote koronki.

Moje małżeństwo głównie składało się z niepalenia w łóżku, z niejedzenia w łóżku, z niepicia w łóżku, z nieogrzewania sypialni, bo to zdrowo. Więcej rzeczy nie robiliśmy, niż robiliśmy. Powinnam się przestać dziwić, że moje małżeństwo się tak skończyło. Jeśli chodzi o sypialnię, to jedyne, o czym marzyłam, kładąc się w zmrożonej pościeli, to żeby mnie nie zaczepiał, nie odwijał z kołdry, koca i grubej flanelowej piżamy po dziadku. Jak znam jego upodobania, na pewno zrobił Joli dziecko w lodówce.

Boże, dlaczego to mnie spotkało? Akurat mnie? Przecież statystyki mówią, że spotyka to co dziesiątą kobietę w naszym kraju. Dlaczego musiałam być ta dziesiąta? Wystarczyło, by jakoś inaczej się ustawić w statystyce.

Poza tym dlaczego on zadał się ze szczuplejszą? Statystyki mówią, że mężczyzna zdradza swoją żonę na ogół z kobietą bardziej puszystą. Ja jestem bardziej puszysta! Kłamliwi matematycy zniszczyli mi związek, który się zupełnie nieźle zapowiadał. Teraz cierpię. Umieram. Dlaczego już nigdy nie usłyszę podniesionego głosu: ,,Gdzie ta kawa, do cholery!'' Dlaczego mnie to tak strasznie martwi? Już nigdy nie zadam się z żadnym przedstawicielem tego obcego gatunku. Nigdy. Wszyscy oni są tacy sami.

Rzucam kawę.

*

Potem wzięliśmy bardzo przyjemny rozwód. Ceremonia trwała krócej niż ślub. Mniej też było osób towarzyszących. Ani pół świadka. Żadnego szampana.

– Zostawiam ci mieszkanie – powiedział.

Cudowny facet, czyż nie? Zostawia mi nasze wspólne mieszkanie, które razem spłacaliśmy przez ostatnie dziesięć lat! Co prawda jego dziadkowie nas zameldowali, ale wykupiliśmy je razem! Zostawia mi!

– Rozstańmy się kulturalnie. O samochód chyba nie będziesz się kłócić? – powiedział w korytarzu sądowym. – Wiesz, to moja praca.

Kłamał jak zwykle. Jest ekonomistą. A żebyś został zawodowym kierowcą, ty gnomie!

Uśmiechnęłam się. Serce łkało.

– Jak sobie życzysz.

Do teraz żałuję.

Ani słowa więcej o tym karle! Przysięgam! Jeszcze będzie po mnie płakał!

*

Nie płacze.

Widziała go moja przyjaciółka Ula. Świetnie wygląda. Zeszczuplał. Nosi za nią zakupy. A Jola z dużym brzuszkiem mogłaby być reklamą kobiety w ciąży. Nawet jej hormonów nie wysypało na twarz! Dlaczego ja mam takiego pecha! Nie mógł wpaść z jakąś kobietą, która kiedyś jako dziewczynka zachorowała na ospę i ją sobie wydrapała i której na zawsze zostały ślady, i która ma kłopoty z cerą? I która jest gruba i głupia?

Dlaczego on z nią robi zakupy, a ze mną nigdy nie robił?

Ani słowa więcej o tym wraku prawdziwego mężczyzny. Nędznej imitacji. Nigdy! Mam przynajmniej nadzieję, że robi jej awanturę, jeśli nie ma kawy w domu. Może zostanę prezesem urzędu ceł i wydam rozporządzenie zabraniające sprowadzania kawy.

*

W taki oto sposób zostałam sama. Już mam za sobą przepłakane noce. Już nigdy więcej nie będę płakać przez faceta. Postanowiłam zacząć nowe życie.

*

Zaczęłam od zważenia się. Nie powiem ile. To można sprawdzić – oczywiście pod przymusem. Ale niewielkim – uśpić, zważyć bez mojej wiedzy i uważać, żebym nigdy się o tym nie dowiedziała, bo znajdę i zabiję.

Potem zrobiłam przegląd moich dokonań życiowych. Bilansu strat i zysków.

Zdecydowanie oprócz córki mam nadwagę, które to słowo mnie drażni. Oprócz nadwagi mam mamę i tatę. Oboje po rozwodzie. Mieszkają osobno. Zauważyłam, że w dzisiejszych czasach ludzie się łatwiej rozwodzą i zwodzą, co jest przykre. Nawet jeśli chodzi o pary z długim stażem, co można byłoby powiedzieć o moich rodzicach, gdyby nie rozwód. Jesteśmy w stałym kontakcie, ponieważ martwią się o mnie. Mój brat mieszka na drugim końcu świata.

Oprócz córki, nadwagi i rodziców mam nieodciętą pępowinę, o czym dowiedziałam się z mądrych książek. Psychiczną oczywiście. Moi rodzice są toksyczni – tak podaje literatura. Trzydzieści parę lat przeżyłam i wreszcie trafiłam na książkę, która mi to uświadomiła. Nie wiem, co z tym zrobić. Tak mi się przyjemnie żyło!

O nadwadze też dowiedziałam się z prasy. A mówi się, że telewizja szkodzi.

Oprócz córki, nadwagi, rodziców, nieodciętej pępowiny dręczą mnie problemy natury uczuciowej. Co spotkałam na swojej drodze faceta, to albo w ogóle nie pracował, albo był pracoholikiem, albo zdrowo wcinał kiełki, patrząc z obrzydzeniem na moje befsztyki. A teraz faceci w ogóle są do niczego, wszyscy są tacy sami – albo ma oprócz komórki wszyty esperal, albo jest po rozwodzie. Komórki nie ma wszytej, ale prawie... Do dziś nie opracowałam testu, który by mi pozwolił sprawdzić, co mnie czeka. Zanim oczywiście wdepnę w uzależnienie od niego. Które oczywiście kończy się tragicznie, bo moja miłość ma go uleczyć. Nie ulecza, a ja liżę rany w samotności.

Dlaczego spotkałam swojego przyszłego eksmęża, który lubił spać w zimnym pokoju? I nie było mowy o paleniu w łóżku? Oraz czytaniu? Dlaczego mu światło przeszkadzało?

Oprócz córki, nadwagi, rodziców, nieodciętej pępowiny, problemów natury uczuciowej dysponuję całą gamą innych drobnych przykrości, które rujnują mi życie. Na przykład leje mi się z umywalki. Miał przyjść hydraulik, ale najpierw on zapomniał, a potem ja zapomniałam.

Co postanawiam zacząć dietę, to nagle się okazuje, że znajomi, którzy nigdy nie robią wystawnych przyjęć, nagle właśnie na takie mnie zapraszają. Nie wiem, skąd się dowiadują, że zamierzam głodować. Niewykluczone, że mają ścisły pozawerbalny kontakt z moją lodówką – kiedy tylko pojawia się tam gar zupy z kapusty na cztery następne dni diety cud – dzwonią i mówią, że hinduski wieczór albo polędwica z zielonym pieprzem, albo... Szczyt złośliwości.

Oprócz córki, nadwagi, rodziców, nieodciętej pępowiny, kłopotów z facetami, kranem i złośliwych przyjaciół mam jeszcze psa. Ma na imię Borys i nie ma nadwagi. Całą nadzieję pokładam w opinii kolegi, który mówi, że jaki pies, taki właściciel.

Choć nie ukrywam, że nie chciałabym mieć futra na piersiach.

I pomyśleć, że jeszcze w lutym byłam szczęśliwą mężatką! To było cztery kilo temu. Zgadnijcie, jak skończyła się moja wielka miłość?

Myślę, że mam zupełnie przeciętne problemy, i to mnie ratuje.

*

Dzisiaj spotkałam się z Eksiem. Był uprzedzająco miły. Podejrzewałam go o najgorsze i się nie pomyliłam. Otóż proponuje mi pieniądze na maleńkie mieszkanko. Bo tamto mieszkanie było jakby jego dziadków, więc sama rozumiem, że nie mam jakby żadnych praw.

Jakby sama nie rozumiałam. Wyraził więc nadzieję, że się zgodzę, bo i tak mi się pieniądze nie należą.

A on tutaj właśnie prezentuje swoją jakby i Joli dobrą wolę.

Joli! Jola ma decydować, gdzie ja i moje dziecko mamy żyć! Po moim trupie!

Zgodziłam się.

Jestem zrozpaczona.

Tosia mówi, że nienawidziła tego mieszkania i że bardzo dobrze.

Zadzwoniłam do Uli. Nie wiem, co robić. Nie wiem, gdzie będziemy mieszkać. Pieniędzy starczy na kawalerkę. Nie chcę, do jasnej cholery, żyć w kawalerce! Niech on, do cholery, żyje sobie w kawalerce!

Ula powiedziała, żebym się nie martwiła, że koło niej jest mały kawałek ziemi. Że za te pieniądze na tę cholerną kawalerkę można wybudować maleńki, zgrabniutki domek. Że wszystko, co złe, obraca się na dobre.

Idiotka.

Borys przyszedł wieczorem do sypialni. Wpuściłam go na łóżko. Zapaliłam papierosa. Zeżarłam bułkę i nakruszyłam. Szkoda, że ten od Joli tego nie widzi!

*

Dzwonili z redakcji, że co ja sobie myślę. Na miły Bóg, co ja myślę? Myślę o tym, żeby dostała ospy i żeby utyła, i żeby zapominała kupić kawy!

Co ja myślę w sprawie listów, które na mnie od tygodni czekają. Ponieważ pracuję od siedmiu lat w tej redakcji, więc idą mi na rękę w związku z moją sytuacją życiową i posyłają mi te listy przez gońca. Mam się pospieszyć. I życzą mi powodzenia.

Tak, tak. Moja praca polega na tym, że odpisuję na listy czytelnikom. W każdej sprawie. Jestem bazą danych. Wyrocznią. Jak powiększyć piersi, jak je pomniejszyć, jakich kremów używać do cery tłustej, jakich maseczek po trzydziestce. Co robić, gdy masz kłopoty z córką i gdy cię mąż zdradza. Jak szukać pracy i jak nie dać się maltretować. Gdzie iść po pomoc, jak on pije. Jak się ubrać, kiedy masz figurę jabłko. Jak zatuszować za krótkie nogi. Itd. Co zrobić, żeby on nie odszedł do innej.

A skąd mam to wiedzieć?

Nie lubię wsi

Pojechałam do Uli. Trzydzieści kilometrów od miasta. Idiotyzm. Nie dla mnie. Przecież nie rzucę pracy. Nie mam samochodu. Nie lubię wsi.

Pojechałam wyłącznie dlatego, że jej obiecałam. Co prawda jest WKD. Taki trzywagonikowy tramwaj. Owszem, wygodny i sympatyczny. Jechałam i jechałam – z godzinę. W życiu tym nie będę jeździć!

Zadupie!

Ula czekała na stacji.

Jeden tor, kolejka co godzinę, żadnego sklepu, pięć domów na krzyż. Mowy nie ma! Szkoła dwa i pół kilometra stąd. Tosi w ogóle nie powiem. Na pewno nie będzie chciała wyprowadzić się z miasta!

Ula prowadzi mnie wśród brzóz.

Uwielbiam brzozy.

Chyba zwariowała! Przed torami dziura. Oczywiście w nią wpadam. O mały włos nie łamię nogi. Obcasy mi się zapadają w piasek.

Uli błyszczą oczy.

– Patrz, to tu. – Zatrzymuje się i pokazuje mi tę ziemię, co to niby mam ją kupić. Ugór. Pole. Orane ze trzydzieści lat temu. Sam perz. Straszne. – Rozmawiałam z właścicielami. Oddadzą za dziesięć tysięcy. Pomożemy ci!

Ja mam mieszkać na tym ugorze, z dala od miasta? Przy kolejce, co jeździ co godzinę? Bez telefonu? Bo linii telefonicznej nie ma. W piasku i błocie? Bez sklepu? Kina? Teatru? Przyjaciół?

Dobra, najpierw na herbatkę do Uli, potem pójdę rozmawiać w właścicielami ugoru. Co mi szkodzi, niech Ula wie, że zrobiłam wszystko. Ale to nie dla mnie.

Dom Uli jest piękny. Okna na brzozy. Przed domem cudowny ogródek.

– To szczodrzeniec. Na wiosnę kwitnie żółto. Przyniosłam z lasu, przyjął się. A tu zobacz, jaki piękny świerk. Chorował przez dwa lata, a teraz odbił.

Powyginana wierzba płacząca rośnie tuż przy drewnianym tarasie. Ula nastawia wodę na herbatę, ja zostaję sama. Jej córki jeszcze nie wróciły ze szkoły, mąż pojechał do miasta.

Cisza. Upał. A przecież to dopiero kwiecień.

Patrzę na ugór za siatką. Jakby tak zaorać, ogrodzić – też byłby piękny ogród. Posadzić jeszcze coś by się przydało. Od tamtej strony takie powyginane. Taką wierzbkę czy coś powyginanego, jak ma Ula. W środku można by wykopać oczko. I napełnić wodą. Jakby była woda. A nie ma. Ula ma studnię.

Ale życie musi tu być straszne.

Gdyby ktoś lubił się babrać w ziemi, to może zrobiłby coś ładnego. Nie ja. Nie odróżniam sosny od świerka. Z trudnością rozpoznaję gołębia po gruchaniu. I wróbla. Po ćwierkaniu. A tu coś nad nami kwili. Słońce świeci, pachnie czymś i śpiewa coś. Właściwie jest przyjemnie. Jak na wakacjach.

Wraca Ula z herbatą. Pomiędzy nogami plącze się kot Jacek. Jacek jest duży, pręgowany. Miły. Nie lubię kotów. Ale tutaj, na wsi, mogłabym mieć kota. Tosia by się ucieszyła. Lubi koty.

Ula stawia herbatę na stoliczku pod dębem.

– Ale dzwonią sikory.

No, to jeszcze oprócz gołębi i wróbli będę odróżniać sikory.

Pachnie. I powietrze jest inne. Może będę częściej do Uli przyjeżdżać. Ula przynosi koce. Kładziemy się na trawie. Nad nami niebo. Mogłabym tak spędzić życie, patrząc w chmury. Ale te pszczoły? I osy. Różne latające, groźne dla życia stworzenia, które już się obudziły po zimie? To jest dobre na wakacjach, a nie na co dzień.

Potem idziemy rozmawiać w sprawie ziemi. Na wszelki wypadek. I niech Ula nie myśli, że nie doceniam tego, co dla mnie robi.

Przed furtką właścicieli Ula mnie zatrzymuje.

– Bo wiesz – mówi – elektryczność to możesz pociągnąć od nas, na czas budowy, i wodę. Krzyś się dowiadywał, i w ogóle mają tu robić wodociąg jeszcze w tym roku, we wrześniu. Gdybyś kupiła gotowy projekt, to obok jest ekipa górali, kończą dom i mogliby od razu zacząć.

Krzyś, jej mąż, różni się od mojego tym, że po pierwsze nie jest eks, a po drugie jest dobry i kocha Ulę. Statystycznie nie miała dużych szans, ale na nią padło.

Ugór mieni się wszystkimi kolorami. Słońce chyli się ku zachodowi. Trawa podświetlona złotem lekko faluje na wietrze. No owszem, wygląda to cudownie. Ale nie dla mnie. I tak tego nie kupię.

Do furtki podchodzi właścicielka.

– Wczoraj powiedziałam pani Uli, że dziesięć tysięcy, ale to za tanio. Tak że nieaktualne. Przepraszam.

Robi mi się mdło. Szaro. Jak to, nieaktualne? Między wczoraj a dzisiaj tak podrożało? Niemożliwe! Przecież ja to muszę mieć! To jedyna szansa wyrwania się z miasta! Przecież szkoła tak niedaleko, zakupy przywiezie się kolejką, nie można ludzi robić w konia! Muszę zacząć nowe życie!

– A ile pani chce?

– To ja już muszę się z córką naradzić.

Boże jedyny, przez przypadek odnalazłam swoje miejsce na ziemi i ono ma być nie dla mnie? W życiu! Będę walczyć! Nie dam sobie odebrać swojej ziemi! Przecież już nawet wiem, gdzie będzie to cholerne oczko wodne!

Ula odprowadza mnie na stację. Obcasy grzęzną mi w piasku. Cudownie miękkim, ciepłym piasku. Omijam dziurę przed torami. Szyny błyszczą w czerwonawym słońcu.

Przed Warszawą widzę po prawej stronie tęczę! To znak! Że można zacząć nowe życie i w ogóle! O, nie dam się!

*

Przyjechałam do mieszkania, co je mam w ciągu miesiąca opuścić.

Borys miałby tam używanie. Tosia miałaby kota. Mówię Tosi, że może by tak się wynieść daleko stąd. W redakcji byłabym dwa razy w tygodniu. I tak przeważnie pracuję w domu.

Tosia pyta, czy mogłaby mieć kota. Kiedy jej mówię, że to tuż obok Uli, chce natychmiast jechać i zobaczyć się z jej córkami, które przecież zna.

Szczęśliwie jest wpół do dziesiątej, więc nie jedziemy.

Pozwalam Borysowi spać w łóżku. On śpi, ja nie mogę zasnąć. Jutro koniecznie muszę pojechać do Uli. Byle złotozębna Jola mnie nie zmoże.

*

Właśnie zadzwoniła moja mama i zapytała, kiedy zamierzam wziąć się za siebie, bo chyba dalej nie można tak egzystować. (Przez egzystowanie moja mama rozumie życie bez stałej posady, bez stałego męża, bez stałej wagi. Nie mówiąc już o późnym kładzeniu się spać.) I co zamierzam z sobą zrobić.

Nie powiedziałam jej. Po co ma nie spać. Położyłam się o jedenastej. W końcu nawet moja mama może mieć czasami rację.

O wpół do dwunastej zadzwonił mój ojciec i zapytał, dlaczego o tej porze jeszcze nie śpię.

Wybita z pierwszego snu nie mogłam zasnąć. O pierwszej pies zaczął piszczeć. Ubrałam się i poszłam go wysikać. Gdybym miała ogródeczek, puściłabym go do ogródka. Potem zrobiłam sobie herbatę. Potem zapaliłam papierosa. Potem zjadłam przepyszną bułeczkę z pasztetem z gęsich wątróbek. W dalszym ciągu nie mogłam zasnąć. Zapaliłam. Po jedzeniu palę. Zrobiłam drugą herbatę. Potem umyłam zęby. Potem czytałam, mimo że czytanie mi zdecydowanie szkodzi. Potem próbowałam zasnąć. Mowy nie było! O trzeciej trzydzieści się złamałam i wzięłam pół tabletki na sen. O dziewiątej zadzwoniła moja mama.

– To ty o tej porze jeszcze śpisz?

Nie wiem, dlaczego się rozwiedli.

Tam na wsi nie ma telefonów. I bardzo dobrze. Będę żyć w zgodzie z naturą.

*

Tosia absolutnie jest za. Już szuka małego kotka. Właścicielka ugoru podniosła cenę o pięć tysięcy.

– Zgadzam się – krzyknęłam.

– A to ja jeszcze porozmawiam z synem – powiedziała.

Boże, ilu samotnym porzuconym kobietom, statystycznie rzecz biorąc, pozwalasz na wybudowanie własnego ślicznego domeczku, w którym zawsze będzie ciepło? Możesz mnie tak ustawić w tym szeregu, żeby tym razem też na mnie wypadło, tak jak to zrobiłeś w kwestii porzucenia mnie przez eks?

Przecież coś mi się w końcu należy za to, że Jola nigdy w życiu nie miała ospy?!

*

W kwestii zasadniczej – nie wiem, ile razy człowiek, czyli kobieta, może zaczynać życie od nowa. Jeśli o mnie chodzi, robię to teraz poniekąd nałogowo. Bez przerwy. Nie wiem, dlaczego akurat na mnie popadło. I nigdy się nie dowiem. Widać coś robię źle, bo normalni ludzie żyją normalnie. Nie są porzucani, ich mężowie nie robią sobie dziecka na starość z jakimiś obcymi kobietami, ich porzucone żony nie muszą się wyprowadzać i szukać swojego miejsca na ziemi, ich córki nie muszą zmieniać szkoły i się stresować, a te kobiety nie tyją.

Te kobiety nie kupują kawałka ziemi.

A ja będę miała własny dom, nawet po swoim własnym trupie.

*

Przywieźli mi listy z redakcji. Czterdzieści.

Włączyłam komputer, zrobiłam herbatę. Wyłą-
czyłam telefon. Muszę normalnie żyć. Za trzy dni mamy się wyprowadzić. Julek – kolega z redakcji – wyjeżdża, może mi na trzy miesiące zostawić klucze.

Tosia u narzeczonego Złotozębnej. Właściwie powinnam się cieszyć, że ma z ojcem dobre stosunki.
Szlag mnie trafia! Z narzeczonym Złotozębnej muszę
załatwić, żeby mi pozwolił przewieźć meble później.

Czterdzieści listów! Biorę się do roboty. Pierwszy
list jest tragiczny. Czy to specjalnie tak?

Droga Redakcjo,
nie wiem, co robić, dowiedziałam się, że mój mąż ma
inną. Dzieci ją znają, razem chodzą do kina, razem od
dwóch lat wyjeżdżają na urlopy. Moje życie rozpadło się
w gruzy. Jak go zatrzymać, jest dla mnie wszystkim. Dzie-
ci mówią, żebym nie histeryzowała, odsunęły się ode
mnie, ja płaczę całymi dniami i proszę, żeby mnie nie
opuszczał przez wzgląd na te wszystkie wspólne lata. Mąż
upokarza mnie na każdym kroku, a przecież wie, że go
kocham nad życie. Co robić?

Co robić? Ty głupia babo – zabić! Puścić go z tor-
bami, niech się wynosi do tej lafiryndy, a ty zacznij
nowe życie! Co się go tak uczepiłaś jak rzep psiego
ogona! Trzeba mieć odrobinę poczucia własnej war-
tości, idiotko!

Droga Pani,
rozumiem trudną sytuację, w jakiej się pani znalazła.
Niestety nie mogę wziąć odpowiedzialności za pani zwią-
zek i za pani decyzje – jakiekolwiek by one były.

A szkoda. Już ja bym ci napisała, co cię postawi na nogi.

Warto zastanowić się, co tak panią przy nim trzyma,
skoro mąż panią upokarza od lat. Czy to naprawdę jest
miłość? Jeśli chce pani czekać – to proszę czekać. Ale ży-
cie, być może, przeminie na czekaniu, a na pewno zasłu-
guje pani na szacunek i prawdziwą miłość. Niech pani
pomyśli, czy warto żyć z człowiekiem, który panią kom-
promituje w oczach dzieci, który nie liczy się z pani uczu-
ciami?

Nienawidzę facetów!

Droga Redakcjo,
ja mam piegi, chyba się zabiję...

Ja też mam, kobieto! I się nie zabiję! Nacieraj sobie kwaśnym mlekiem i okładaj ogórkiem, kup krem na piegi od żądnych pieniędzy przedsiębiorców farmaceutycznych. Lepsze piegi niż ślady po ospie. Lepsze piegi niż być porzuconą.

Droga Basiu,
najlepszym sposobem na piegi jest okładanie cery
ogórkiem...

O, a teraz przyjemny list. Bardzo proszę. To lubię.
Na komputerze pisał. Facet. I na niebieskim papierze.
Infantylny jakiś.

Droga Redakcjo,
żona oświadczyła mi, że od wielu lat nie jest ze mną
szczęśliwa, a właściwie nigdy nie była. Ma romans z ko-
legą z pracy, z którym czuje się jak prawdziwa kobieta.
Nie mogę sobie dać rady, nie rozumiem, jak mogło do
tego dojść, zawsze ją bardzo kochałem...

Nie rozumiesz, głąbie? Dobrze ci tak! Nareszcie
jakaś kobieta wyzwala się z krępujących ją szowi-
nistycznych więzów, a ty nie rozumiesz? Ja ci wytłumaczę!

Szanowny Panie,
ze smutkiem przeczytałam pański list i choć cała sy-
tuacja budzi moje głębokie współczucie (ha, ha, ha –
chciałeś być pierwszy, ale masz mądrzejszą żonę), *to jed-*
nak nie mogę oprzeć się wrażeniu, że udział pana w tej
sprawie jest duży. Kobieta na ogół nie rzuca się w romans
z innym, jeśli mąż zaspokaja jej podstawowe potrzeby –
bycia kochaną, ważną i szanowaną. Prawdopodobnie
w waszym związku zabrakło intymności i zaufania, więzy,
które was łączyły, nie były wystarczająco mocne. Czło-
wiek, który kocha, potrafi wiele wybaczyć i walczyć
o swoją miłość. Jeśli żona jest szczęśliwa z innym męż-
czyzną – jest to jednoznaczne. Znalazła tam coś, czego
pan jej nie umiał lub nie chciał dać. Rozumiem, że czuje
się pan zdradzony. To nie musi być dowód miłości, ale
egoizmu i zranionej męskiej dumy. Niech rozważy pan

w swoim sumieniu, czy pan ze swej strony w związek z żoną zainwestował rzeczywiście wszystko? Osobiście wątpię – sama jestem kobietą i wiem, że miłość mężczyzny, jeśli jest prawdziwa, potrafi uczynić cuda. Kobieta kochana nigdy nie spojrzy na innego faceta. Jeśli rzeczywiście kocha pan żonę – pana cierpliwość i wyrozumiałość będą nagrodzone.

Czekaj sobie na nią do świętego Nigdy.

Życzę panu, aby w następnym związku umiał pan więcej dawać, a wtedy nie spotka pana rozczarowanie. Z poważaniem...

Jeśli ma być szczerze, to bardzo proszę. Bardzo lubię żonę faceta od niebieskiego papieru. Przynajmniej jedna z nas się nie dała tym dupkom. I ja się też nie dam. Będę miała swój własny dom i będę sobie paliła w łóżku papierosy i wpuszczała psa na kołdrę. I jadła śniadanie w niedzielę, czytając książki w łóżku. Będę sobie czytała i kruszyła okruszkami z pysznych bułeczek.

*

Wpadłam w panikę. Wcale nie jestem spakowana. Nie wiem, od czego zacząć. Zostało mi jeszcze czterdzieści dziewięć godzin do przyjazdu samochodu, który ma nas przeprowadzić do mieszkania Julka. Potem będę się zastanawiać, co dalej.

Przyjechała Ula. Siedziałam właśnie na podłodze, próbując złożyć kartony. Obok mnie leżały książki.

Jakieś osiemset. Oraz swetry. Oraz bluzki. Pościel. Ubrania Tosi. Filiżanki z mojego (tak! przedślubnego!) kompletu. Cukierniczka srebrna od mojej kuzynki. Wiklinowe koszyczki, które zbierałam namiętnie. Każdy inny. Bibelociki. Świeczniki. Świeczki. Zrobiłam sobie herbatkę bez cytryny. Za to z fusami – taką, jaką lubię. Żeby poczytać pamiętnik. Z lat wczesnej młodości, który wypadł z najwyższej półki w szafie, kiedy próbowałam zdjąć swetry. Schowałam go tam przed tym od Joli. Cztery lata temu, po remoncie.

Borys na dźwięk dzwonka zerwał się, wylał herbatę na nie wiadomo dlaczego otwarty *Słownik mitów* i pognał do drzwi. Nienawidzę psów! Fusy spłynęły malowniczo po haśle ,,pięta Achillesa" i zatrzymały się na encyklopedii. Najpierw się troszkę zagotowałam, a potem pieczołowicie złożyłam obie książki razem z fusami i mocno przygniotłam słownikiem angielsko-polskim. Żeby dobrze przywarły te fusy. W ogóle nie widać, że w środku są fusy.

Się zdziwi. Obie książki są tego od Joli.

Dobry piesek.

Ula weszła i troszkę zbladła. A potem pogodnie powiedziała:

– O, widzę, że już kończysz.

Nic nie kończyłam. Jeszcze w ogóle nawet nie zaczęłam.

Ale Ula wzięła karton, złożyła go w piętnaście sekund i zapytała, od czego zaczynamy. Wobec tego jej nie przeszkadzałam. Czytałam na głos pamiętnik i było bardzo wesoło.

Po sześciu godzinach byłam spakowana.

Wieczorem przyjechał po nią mąż (po mnie już nigdy nie przyjedzie mąż!) i przewieźliśmy komputer.

Potem odwieźli mnie z powrotem w te resztki mojego domu (nigdy już mąż mnie nie odwiezie do domu!). Zrobiłam jakąś nędzną kolację (nigdy już nie będę robiła kolacji w tym domu!). Potem otworzyłam whisky, którą mu (idiotka!) przywiozłam na urodziny – była schowana w szafce z butami – i wypiłyśmy pół butelki. (Już nigdy nie będę mężowi przywoziła whisky, bo nie mam męża.)

Jestem samotną porzuconą kobietą.

Położyłam się o trzeciej obok *Słownika mitów greckich* i Boryska, mojego ukochanego pieseczka, który zawsze mnie kochał i nigdy nie opuści na pewno, kochany kundeleczek. A oni wszyscy, czyli Jola i ten od niej, dostaną ospy i utyją. I też będzie im się kiwał sufit troszeczkę, aż spadnie. I będą mieli duże złote zęby. I ubytki. Brak mózgu. I trądzik starczy. I nie będą mieli kochaniutkiego dobrego pieseczka, który jest mój, mój i tylko mój...

*

O matko, jak mi się chce pić! Nie wiem, kto dopił whisky.

Bo Borysowi nie chce się pić. Obserwowałam go ukradkiem.

*

Ta kobieta od mojej ziemi chce dwadzieścia tysięcy.

Eks dał mi pieniądze przy notariuszu. Podpisałam, co chciał.

Byłam znakomicie ubrana, bo Renata pożyczyła mi spódnicę, żeby go zatkało. Śliczną i luksusową. Za nowe rajstopy zapłaciłam czterdzieści cztery złote. Szare. Francuskie. Za nowy lakier do paznokci siedemdziesiąt pięć. Manicure i makijaż kosztowały siedemdziesiąt złotych. Eksio nic nie powiedział, ale widziałam, jak mi się cały czas przyglądał. W życiu tak na mnie nie patrzył. Choć nie wyglądał na zatkanego. Niech żałuje! Zapytał, czy mnie gdzieś nie podwieźć.

Uprzejmie podziękowałam. Niech wozi tę swoją. Niech wie, że mam klasę. Zresztą to dwadzieścia minut autobusem. Tłukłam się do mieszkania Julka półtorej godziny, bo na Łazienkowskiej wywrócił się tir.

Na ulicy ludzie na mnie patrzyli. Wyglądałam wystrzałowo. Wcale nie trzeba być anorektyczną Jolą, żeby zwracać uwagę mężczyzn. A w autobusie jakiś facet oczu ode mnie nie mógł oderwać! Jeszcze mnie stać na niejedno! Wszystko przede mną! Już zawsze będę elegancką kobietą!

Borys przywitał mnie tak, jakby mnie nie widział rok.

Podarł mi rajstopy za czterdzieści cztery złote i zahaczył pazurami o spódnicę Renaty. Dziura jak jasny gwint! Wbiegłam do łazienki i chlapnęłam lakierem na oczko w rajstopach. Podobno tak się robi. Mam to w komputerze. W bazie danych, co robić domowym sposobem w razie różnych wypadków. Lakier diabli wzięli. Popłynął aż na podłogę. Ani rajstop, ani lakieru. Co za bzdury w tym komputerze!

I wtedy niestety spojrzałam w lustro. Jedno oko miałam rzeczywiście świetne. Duże. Błyszczące. Zielony cień znakomicie podkreślał tęczówkę. Niestety miałam również drugie oko. Wyglądało, jakby mi ktoś przywalił. Zielony cień pod spodem, tusz pod okiem. Boże, dlaczego mi to zrobiłeś? Dlaczego nie jestem cyklopem?

No tak. Jak wyszłam od kosmetyczki, coś mi wpadło do oka. I na pewno wsadziłam tam rękę! Dlaczego nie pamiętałam, że jestem elegancką kobietą? Nienawidzę być elegancką kobietą! Już nigdy się nie pomaluję, przysięgam.

Po zmyciu oczu mydłem z dodatkiem kremu nic nie widzę. Szczypie. Boli. Przecież muszę pracować! Wyglądam jak królik. Z tym że mam dodatkowo czarne obwódki. Nie dają się zmyć.

Nienawidzę być królikiem.

Włączam komputer.

Droga Redakcjo,
przeczytałam w waszej gazecie, że są tusze wodoodporne. Czy mogłaby pani polecić mi taki tusz, bo jadę na wakacje, a chcę się podobać.

Mój był wodoodporny. Użyj mojego. Jak znalazł na kąpiele w jeziorze. Możesz się pomalować raz, przed wyjazdem, i starczy na dwa tygodnie. Tylko nie próbuj zmywać.

Droga Elu,
dziękuję, za zaufanie, jakim obdarzyłaś naszą re-
dakcję...

*

Dwadzieścia tysięcy. 20 000. Jestem ziemianką. Mam własną ziemię. Mam projekt. Mam górali.

Wszystko to w czasie rekordowym, ostatnich trzech tygodni. Architekt, geodeta, Urząd Gminy, znowu architekt, plan, księga wieczysta, znowu geodeta, zatwierdzenie, pismo o umorzeniu postępowania w sprawie dotyczącej wyłączenia gruntów z produkcji rolnej położonych... z uzasadnieniem, że postępowanie w tej sprawie stało się bezprzedmiotowe, ponieważ stwierdzono, że działka (czyli moja ziemia!) jest położona na gruntach pochodzenia mineralnego i nie zachodzi potrzeba uzyskania zezwolenia na wyłączenie gruntów z produkcji rolnej i naliczania opłat związanych z tych wyłączeniem.

O, proszę bardzo.

Ciekawa jestem, co by powiedzieli moi rodzice, gdyby wiedzieli, że już się kopią fundamenty. Ale im nie powiem. Wpadną w panikę, a wystarczy, że ja jestem spanikowana.

Powiedziałam tylko Agnieszce, która też jak ja przeszła w życiu niejedno. Jest moją kuzynką i charakteryzuje się tym, że się nie mieści w statystyce oraz – w przeciwieństwie do mnie – realizuje swoje cele życiowe. Po moim ślubie, kiedy moja teściowa przy deserze powiedziała, że teraz czas na dzidziusia, Agnieszka oświadczyła, że wyjdzie tylko za sierotkę. A kiedy nasza wspólna znajoma się rozeszła zaraz po ślubie, to Agnieszka powiedziała, że sobie znajdzie faceta po rozwodzie – doświadczonego, któremu już nie głupoty w głowie.

Grzegorz – jej mąż – był rozwiedzioną półsierotką. To bardzo miły człowiek. Odsiedział swoje w stanie wojennym, bo drukował Miłosza. Dlatego teraz, jak już nie ma przypływu adrenaliny – proponuje wszystkim, żeby się bujali. Grzesiek też miał w swoim życiu parę trudnych momentów.

Pierwszy, jak ich nakryli z całym trzytysięcznym nakładem Bora-Komorowskiego w stanie wojennym. Oni myśleli, że się konspirują, a władza socjalistyczna czekała, aż skończą drukować. Wtedy bardzo miły ubek poklepał Grześka po ramieniu i powiedział szeptem:

– Pan się nie martwi, to się nie zmarnuje, nasi znajomi to psy na takie bzdury.

I wtedy Grzesiek posiedział rok, ale mówi, że było przyjemnie, bo w życiu już potem nie poznał tak wielu interesujących ludzi. Dzisiaj zna połowę rządu.

Żyję w kraju, w którym rząd poznaje się w więzieniu. Ciekawa jestem, czy to będzie dalej obowiązywać. Taka zasada.

Drugi trudny moment dla Grześka, to jak im się dziecko urodziło. Agnieszka w szpitalu, a Grzesiek bólów porodowych dostał i musiał z teściową wypić cały koniak, żeby mu minęło. Do dziś nie znosi koniaku. Chorował strasznie. Dziecko urodziło się trzeźwe, choć teraz zachowuje się, jakby było pijane. Moja nieletnia siostrzenica proponuje ojcu, żeby się bujał.

Więc powiedziałam Agnieszce i Grześkowi, że już wylewają fundamenty. Agnieszka spojrzała na mnie z bólem. Grzesiek z wrażenia zapomniał powiedzieć, żebym się bujała. Musieli być wstrząśnięci. Mają mnie za wariatkę.

Tylko Ula wierzy, że mi się uda.

Dzieci mają zalety

Dzieci mają zalety. Ale takie dziecko, jak moja córka Tosia, jest człowiekiem dość niebezpiecznym. Już jako mała dziewczynka potrafiła jednym zgrabnym zdaniem skompromitować moje metody wychowawcze oraz donieść moim rodzicom, co się dzieje w domu.

Pamiętam, jak kiedyś wdepnęła do mnie przyjaciółka. Tosia siedziała grzeczniutko na dywanie i bawiła się klockami lego. Moja przyjaciółka nie miała jeszcze wtedy dziecka i nie wiedziała, że jak dziecko grzecznie się bawi, to mu się nie przeszkadza w tych rzadkich chwilach. Więc przeszkodziła – wsadziła głowę w drzwi i powiedziała:

– Kuku, kuku, strzela baba z łuku, a dziad z pistoletu...

Tu mocno rąbnęłam ją w bok, bo już sobie wyobraziłam, jak na imieninach teściów wobec licznych gości Tosia powtarza, że ją ciocia nauczyła, że dziad z pistoletu strzela do klozetu. I te ich miny!

Przyjaciółka cichutko zakończyła wierszyk, a Tosia, wdzięcznie podnosząc główkę, roześmiała się
srebrzyście i zapytała:

– A dziad gdzie? Nie usłyszałam, ciociu, a dziad
gdzie?

Dużo czasu zajęło nam wytłumaczenie Tosi, że
ciocia już nie pamięta, gdzie dziad, ale kiedy ciocia się
żegnała, Tosia wbiegła do przedpokoju, machnęła
klockiem lego, a do dziś pamiętam, że to był klocek
pirat, i wykrzyknęła triumfalnie:

– Wiem, ciociu, wiem. Kuku, kuku, strzela baba
z łuku, a dziad także strzela, strzela do kibela!

Zmroziło mnie na myśl o kiblu przy tym nakrytym
białym obrusem stole u teściów, i już prawie słyszałam
syk teściowej:

– No proszę, mówiłam, że ona nie nadaje się na
matkę.

Ona to znaczy ja.

A kto mówił o dzidziusiu w dniu ślubu?

*

Więc Tosia opanowała do perfekcji słuchanie
dowcipów nieprzeznaczonych dla jej maleńkich uszu,
które, moim zdaniem, gdy była sama w swoim pokoju,
rosły do niezwykłych rozmiarów, bo nie jest możliwe,
żeby dziecko miało tak znakomity słuch, mając takie
malutkie uszka. Jestem pewna, że wydłużały się jej,
jak tylko wychodziłam z pokoju.

Kiedyś powiedziałam o mężu Eli, innej mojej przyjaciółki, że jest nienormalny. Bo jest. I proszę bardzo. Tosia, wtedy czteroletnia, spała, jak mi się wydawało. Nie minęło parę tygodni, kiedy telewizja podała, że dzieci są naiwne i rodzice powinni je pouczać, że się z obcymi nigdzie nie chodzi.

Tosia usłyszała i przeprowadziła na tę okoliczność śledztwo w obecności Eli. Nie wiem, dlaczego wyczekała na moment, kiedy Ela do nas wpadła.

Czy gdyby mianowicie przyszedł obcy pan do przedszkola po nią – to ma iść?

– Nikt obcy po ciebie nie przyjdzie, tylko ja.

– Ale przypuśćmy – Tosia właśnie nauczyła się od kogoś, chyba nie ode mnie, tego słowa – więc przypuśćmy, że ty zachorujesz.

– Przyjdzie po ciebie tatuś.

– Ale przypuśćmy, że tatuś zachoruje.

– To babcia.

– Babcia?

– Z obcym masz nie iść. Ze znajomym możesz.

– Przypuśćmy, z ciocią Elą mogę.

– Możesz, kochanie – powiedziała ciocia Ela. I bez powodu się rozpromieniła.

– A przypuśćmy, z wujkiem?

– Też możesz – mówi Ela, dalej rozpromieniona.

– Ale mamusia mówiła, że twój mąż jest nienormalny – mówi Tosia.

Ela się obraziła. Nie wiem dlaczego, bo sama mówiła, że to idiota.

*

Albo malutka moja dziewczynka siedzi z babcią na działce. Koniec lat osiemdziesiątych. Działka jest pod miastem, dojeżdża się godzinę elektrycznym – Tosia, grzeczna zwykle, nagle odmawia zjedzenia krupniku.

Babcia wpada w panikę – dziecko, które raz nie zje zupki, może umrzeć z głodu – i zaczyna się:

– Za dziadziusia, za tatusia, za mamusię, za biedroneczkę, za pieseczka, łyżeczka za koteczka. – Repertuar się wyczerpuje, Tosia buzię otwiera, jeszcze tylko parę łyżek, znajomi, rodzina i zwierzątka obskoczone, babcia desperacko mówi: – No to za naszego papieża.

A Tosia odsuwa rękę z krupnikiem i mówi:

– A dlaczego za papieża?

– Bo jest dobry.

– Każdy jest dobry albowiem – mówi Tosia, która teraz nowe słowa przylepia na końcu.

– Bo jest biedny.

To się Tosi wydaje interesujące.

– A dlaczego jest biedny?

Zupka stygnie, babcia w panice. Sama jestem ciekawa, co moja matka wykombinuje. I tu moja matka dała plamę.

– Bo biega za nim jakiś Rusek z nożem i chce go zabić!

Tosia ze zdziwienia otwiera buzię, krupnik ląduje w brzuszku, życie mojego dziecka uratowane.

Wracamy wszyscy wieczorem, pociąg elektryczny pęka w szwach, ludzie z koszami wisien stoją w przejściu, tłok, zaduch, zachód słońca, senność późnego, dojrzałego popołudnia, dwaj milicjanci stoją przy drzwiach, konduktor przesuwa się leniwie od podróżnego do podróżnego, babcia opiera głowę o szybę i odpoczywa, i nagle w tej senności kryształowy głos Tosi:

– A gdzie jest, babuniu, ten Rusek, co mówiłaś, że biega z nożem za naszym papieżem?

Nie wiem, skąd Tosia posiadła taką umiejętność przywoływania w najmniej odpowiednich momentach najbardziej kompromitujących rzeczy. Więc teraz ukrywam przed Tosią, że jestem ziemianką i że już zaczęła się budowa, bo ani chybi walnie niechcący na obiedzie w niedzielę przy babci, i babcia gotowa dostać zawału.

Nie zrobiłam kosztorysu, żeby się nie zniechęcać.

*

Jestem na budowie od czasu do czasu. Górale znakomici. Tosi mówiłam, że jeżdżę do redakcji. Teraz na szczęście Tosia na obozie żeglarskim, więc mogę być codziennie, z wyjątkiem tych dni, kiedy próbuję pracować.

W czasie ostatnich dwóch miesięcy wykonałam następujące czynności. Byłam trzydzieści cztery razy w składzie budowlanym. Oprócz tego, co kupował kierownik budowy, kupiłam osobiście około stu kilogramów gwoździ i metrowych szpilek do wieńca, jakieś trzysta metrów kwadratowych ścian gipsowo-kartonowych, osiemnaście litrów wódki czystej i parędziesiąt kilo kiełbasy.

Piłam trzy razy wódkę z góralami, raz miałam kaca.

Posadziłam dwie pnące róże, które zeżarły robaki. Posadziłam ze sto trzydzieści cztery krzewy i drzewa, których nie zeżarły robaki, choć mogły.

Pojechałam do leśniczówki po drzewo i porąbałam dziesięć metrów przestrzennych brzozy. Kiedy myślałam o tym od Joli, rąbało mi się świetnie.

Ogrodziłam swoją ukochaną, jedyną, wymarzoną ziemię. I mam bramę w serduszka.

Nie zakręciłam wody zewnętrznej i lała się cały weekend, bo górale wyjechali na trzy dni do siebie, żeby zrobić żniwa, i nikt nie wiedział, że się leje, a mam już wodę z wodociągu, który był w planach od pięciu lat, a właśnie zrobili teraz. Statystycznie rzecz biorąc, świetnie się złożyło. Nie musiałam kopać studni. Widziałam przedtem białego konia – a biały koń spełnia życzenia, jak wiadomo, i poprosiłam o wodociąg. Jest!

Przyjechali odłączyć mi prąd, bo zapomniałam zapłacić rachunku, ale im Ula nie pozwoliła, bo wytłumaczyła, że mam bardzo niedobrego męża, który mnie zabije, jak się dowie, że zapomniałam o rachunkach. Ci z elektrowni mi współczuli i nie wyłączyli. Jednak są jakieś profity z posiadania męża drania. Jeśli ktoś ma takiego.

Dostałam:

cztery pary pięknych drewnianych drzwi – od trzeciej sąsiadki i jej męża

parapety, kafelki itp. od Mańki, siostry Uli, oraz trójkątną wannę

płyty chodnikowe i worek gipsu od Krzysia

kompakt, to jest muszlę klozetową od Agnieszki i Grześka

farbę i lakier do drewna

roślinki do ogrodu, jukę, tamaryszek i dużo różnych tuj oraz kasztan kwitnący na różowo

piękną drewnianą półkę z wieszakami na garnuszki i ściereczkę, na której powinno być wyhaftowane: „Jak żona gotuje, to mężowi smakuje", czy inna szowinistyczna bzdura

znakomitą wódkę z Grecji od przyjaciela Uli.

Odpisałam na sto osiemdziesiąt sześć listów. W tym na takie:

co robić, jak się nie wie, co robić, kiedy dziecko jest za grzeczne

jak wyegzekwować od dziecka grzeczne zachowanie

jak się robi haft angielski

jak się wypruwa haft angielski

jak zrobić permanentny makijaż

jak usunąć permanentny makijaż

jak powiększyć biust

jak pomniejszyć biust

jak zrobić operację plastyczną: nóg, oczu, podbródka, ucha, uda oraz brzucha jak wytłumaczyć żonie, żeby nie robiła operacji plastycznej: nóg, oczu, podbródka, ucha, uda oraz brzucha

jak wytłumaczyć żonie, żeby zrobiła operację plastyczną nóg, oczu... itd.

jak odejść od męża

jak nie odchodzić od męża

jak wyhodować: kiełki, nutrie, lisy srebrne, lisy rude, króliki, kurczęta

gdzie można sprzedać i komu hodowlę nutrii, lisów, królików, kurcząt

jak polubić teściową

jak się zdrowo żywić, ale bez warzyw, bo są wstrętne

czy można mieszkać pod linią wysokiego napięcia

czy wierzyć wróżce

kiedy będzie koniec świata

czy koniec świata będzie w roku 2000

czy to prawda, że są żyły wodne

co sądzę o książce wydanej w Niemczech, o tytule nie do powtórzenia, która co prawda nie była tłumaczona na polski, ale jest o... itd.

czy jak ktoś chodzi do psychologa, to znaczy, że już nic z niego nie będzie

jak się afirmować na pieniądze

co to jest afirmacja

Prosili redakcję czytelnicy o:

kontakt z Harrisem lub innym uzdrowicielem

parę tysięcy na samochód, lodówkę, wykończenie domu, mieszkanie dla córki, wyjazd na urlop

interwencję u prezydenta w sprawie niesprawiedliwego wyroku sądowego, który przyznał jednak rację sąsiadowi i zasądził grzywnę wysokości dwustu złotych

skontaktowanie się z córką/synem/mężem/żoną i wytłumaczenie synowi/mężowi/żonie/córce – że nie ma racji

napisanie do sąsiadki, że nie podaje się noża do ryb, bo sąsiadka się kłóci i podaje

napisanie artykułu, żeby ludzie nie wierzyli w sprawiedliwość, bo jej nie ma

napisanie artykułu, żeby ludzie zrozumieli, że świat jest piękny, to nie będzie wojen

śpiwór dla syna, który jedzie do Szwecji, bo może w redakcji jest jakiś zbędny

spowodowanie, żeby koty nie sikały na wycieraczkę w bloku 3c m. 9 przy ulicy Sękatej

poproszenie gołębi, żeby nie składały jaj na balkonie.

Również ciekawi byli, czy to prawda, że:

w przyszłym roku będzie lepiej

w przyszłym roku będzie gorzej

zostaną obniżone podatki

zostaną podniesione podatki

wszyscy w rządzie to złodzieje

Wałęsa zostanie prezydentem.

Ciekawi byli, jak usunąć:
prusaki
mrówki faraona
kreta na działce
sąsiada, który pije i brudzi pod drzwiami
teściową, która mówi i mówi, jak wszystko zrobić lepiej
szerszenie
dżdżownice
bezpańskie koty
bezpańskie psy
psa sąsiadów, który szczeka i szczeka
koleżankę, która zaczęła chodzić z chłopakiem, który się podobał czytelniczce
kawki z komina
stonkę.

Jeśli chodzi o życie rodzinne, to nie byłam na żadnym z trzech zebrań w szkole Tosi. Tosia przyniosła w tym czasie ze szkoły:

trzy pały z chemii, której nie rozumie

dwie pały z matematyki, bo pan od matematyki nie rozumie, że ona nie rozumie matematyki

pałę z historii sztuki, bo pani zgubiła jej rysunek

pałę z angielskiego, bo pani zgubiła jej klasówkę

pałę z polskiego, bo pani najpewniej zgubiła jej wypracowanie

pałę z wuefu, bo nie ma butów (zapewne zgubił je pan od wuefu) pałę z historii, bo pan w ogóle nie zrozumiał, co ona do niego mówi

niesłabnące przekonanie, że cały świat jest przeciwko niej.

Tuż przed wakacjami zostałam wezwana do szkoły. Okazało się, że na etyce pani od etyki tłumaczyła, że powołaniem człowieka na ziemi jest bycie nieszczęśliwym. Tosia, nie podnosząc się z miejsca, powiedziała, że akurat ona zamierza być szczęśliwa. Pani się strasznie zdenerwowała i powiedziała, że życie jest brutalne i że wcześniej czy później Tosia to zobaczy. Na co Tosia powiedziała, że świat jest odbiciem stanu naszego umysłu.

Poszłam do szkoły, otrzepawszy się lekko z gipsu.

Zapytali mnie, co ja na ten temat sądzę. Sądziłam, że świat jest odbiciem stanu naszego umysłu. Cieszę się, że Tosia zamierza być szczęśliwa. Ostatecznie każdy ma to, co chce. Pani od etyki nie zgodziła się ze mną i poprosiła, żeby Tosia nie była lekceważąca. Poprosiłam Tosię, żeby nie była lekceważąca.

*

Moje dni upływały między jogurtem, cebulką tulipana i turkuciem podjadkiem, rozrabianiem gipsu, potem troszkę zdrady i kłopotów małżeńskich, skrobanie ścian, robienie wylewek, kupowanie podłóg i złączek o przekroju pół cala, potem osy, rozprawianie nad podatkami, przywożenie niezliczonych ilości styropianu, siatki, folii, znowu krótka rozprawka o zdradzie i jak dbać o włosy, krótki wywód na temat fryzury przed ślubem, między rąbaniem drzewa a odpowiadaniem mojej mamie na pytanie, co zamierzam z sobą robić, bo przecież niedługo wraca Julek, i gdzie ja będę mieszkać z Tosią, która wymaga opieki, własnego domu, spokoju itd.

Odpowiedź brzmiała, że właśnie się zastanawiam.

Oraz wysłuchiwaniu porad mojego ojca, który doradzałby mi w każdym przypadku, żebym nie wychodziła szesnaście lat temu za mąż itd.

W tym czasie wymieniłam z Niebieskim sześć listów na temat roli kobiety i mężczyzny we współczesnym świecie – jego poglądy są nie do przyjęcia, w ogóle nie rozumie, że kobiety są wykorzystywane, przygotowywane do życia w roli posługaczki, i nie dość, że rodzą dzieci, to jeszcze nikt im w tym nie pomaga, ale ten facet nic nigdy nie zrozumie.

*

Kiedy Tosia wróciła z obozu żeglarskiego, dom był pod dachem, wylewki zrobione, woda i elektryczność rozprowadzone w środku, robiło się szambo i zmieniła się ekipa, która miała wykańczać.

Byłam wykończona.

Niepotrzebnie swoją biedną Tosię posądzałam o to, że się w końcu wygada. Po prostu Ula zadzwoniła do mojej mamy i powiedziała, że nowi górale się popili i powinnam być na miejscu. Mama pyta, jacy górale.

– No, ci, którzy teraz robią łazienkę – mówi Ula.

– Jaką łazienkę? – pyta moja mama.

– No, normalną, w domu.

– Ale w jakim domu?

– No, obok.

– Obok czego? – pyta inteligentnie moja mama.

– Obok mnie. – Uli nie można zrazić niczym.

– Ale dlaczego Judyta jest ci do tego potrzebna?

– Przecież to jej, prawda? – powiedziała Ula.

Moja mama nie dostała zawału. Tosia za to jest obrażona, że jej nic nie powiedziałam.

Natychmiast wszyscy chcieli pojechać i zobaczyć dom. Pojechaliśmy. Tosia, moja mama, mój ojciec. I ja. Tosia oniemiała. Moja mama oniemiała. Mój ojciec powiedział, że gdyby był na moim miejscu, toby nic nie robił na hura i powinnam była go wcześniej zapytać o zdanie, czego nie zrobiłam, wychodząc za mąż, i właśnie widzi efekty itd.

A potem odbyło się walne zebranie rodzinne, w wyniku którego ustalono, co następuje: Tosia zamieszka z dziadkiem, Borys z babcią. Ja zamieszkam u Mańki, siostry Uli, tuż obok swojej ziemi. Teraz już muszę się skupić wyłącznie na domu. Idzie jesień. Niedługo się kończy lato. Muszą skończyć przed zimą.

Kończą mi się pieniądze. Nie wiem, co to będzie.

Eksmężowie
są zawsze niefotogeniczni

Mańka jest weterynarzem. Statystycznie podobna do mnie. Miała męża, ale sobie poszedł. Najpierw miliony kartek z serduszkami, potem ślub, potem syn, a potem inna pani. Mąż Mańki był wesołym człowiekiem. Kiedy urodził im się syn i przyjechał do szpitala po żonę i dziecko, to wyszła pielęgniarka z zawiniątkiem i zapytała, czyj to syn.

A on powiedział:

– Kocyk jest mój...

Mężczyzna zawsze rozpozna swoje dziecko po kocyku.

W parę lat później poszedł w świat, ale też nie pozwalał Mańce palić w sypialni. Jak to możliwe, że wychodzimy za mąż za facetów, którzy nam czegoś zabraniają. Albo każą iść spać, bo późno, albo każą wstać, bo też późno, albo obiad trzeba zrobić, albo trzeba oszczędzać itd. I to lubimy! Zupełnie niezrozumiałe.

Mańka ustaliła z Ulą, że zamieszkam u niej, bo mąż zwolnił właśnie miejsce i trzeba przewieźć tylko parę ciuchów, komputer, żebym mogła pracować, i damy sobie radę. Górale nie będą pić, jak będzie nadzór. Nadzór, czyli ja.

*

No, która jeszcze kobieta wie, jaka jest różnica między betonem piętnastką a dwudziestką? Między gwoździem dwucalowym a siedmiocalowym? Górale nie piją. Piłam z nimi na wiechę, wieniec i jeszcze z jakiegoś powodu, nie pamiętam. Pytam, która kobieta wie, co to jest wieniec na domu? Ja wiem.

Dziadek dzwoni, że Tosia go nie słucha i nie je zup.

Babcia zadzwoniła, że Borys pogryzł drzwi wejściowe.

Zadzwoniłam do ojca i powiedziałam, żeby sprzedał Malczewskiego, który jest w rodzinie od lat i niestety ma wisieć na ścianie do dziesiątego pokolenia. Większego kredytu nie dostanę, pieniądze pożyczone od Mańki się skończyły.

Ojciec zadzwonił do mojej mamy i zapytał, czy ona nie ma jakichś wolnych środków płatniczych, ponieważ Malczewskiego i tak nie da się sprzedać od ręki, a poza tym obraz ma służyć następnym pokoleniom, może na przykład mój brat będzie go chciał w przyszłości.

Mój brat zadzwonił do ojca, do którego zadzwoniła moja mama, i powiedział, żeby w cholerę sprzedać Malczewskiego, bo on nie chce go mieć przez pokolenia w przyszłości.

Moja mama zadzwoniła do mnie i powiedziała, że w związku z Malczewskim i następnymi pokoleniami ona weźmie jakiś kredyt.

Zadzwonił mój ojciec i powiedział, że można oczywiście sprzedać Malczewskiego, niech matka nie bierze kredytu, bo to złodziejstwo – taki procent.

Potem zadzwonił mój brat i zapytał, ile mi brakuje, to on weźmie jakiś kredyt, bo przecież ojciec się zapłacze, jeśli Malczewski nie będzie w tej rodzinie w przyszłości przez pokolenia.

Mój ojciec zadzwonił do brata i powiedział, że na jego miejscu nie brałby kredytu, bo to złodziejstwo – taki procent.

Następnie zadzwoniła moja mama, żeby powiedzieć, że babcia przesyła dla mnie pieniądze i mogę oddać, kiedy będę miała, bo jej się nie spieszy. A ma odłożone na pogrzeb. Więc tym bardziej jej się nie spieszy.

*

Mańka wróciła dzisiaj później niż ja z budowy. Podałam gorącą kolację – kotlety schabowe zapiekane z żółtym serem – bardzo niezdrowe i bardzo pyszne. Wolałabym mieć żonę w przyszłości, bo Mańka była zachwycona. Jej syn też. Mówi do mnie matko B, bo koledzy go pytali, dlaczego jego matka mieszka teraz z kobietą.

Mańka wróciła późno, bo szczepiła osiem psów u jednego pana. Wypełnia te książeczki – a tam jest napisane – imię psa. To pyta, jak się pies nazywa.

– Bobik.

Drugi też Bobik. I trzeci. I czwarty. I piąty.

Mańka w przeciwieństwie do mnie nie dziwi się specjalnie, od kiedy została wezwana do jednej pani na szczepienie kota i obcięcie pazurów u psa. Pojechała, staruszeczka otworzyła drzwi i na wstępie poinformowała, że pies ją, Mańkę, pogryzie – jak syna nie ma, a kot sobie właśnie poszedł w cholerę. Ale czy przy okazji nie mogłaby, znaczy Mańka, obciąć jej paznokci w prawej ręce, bo sobie nie daje rady. Zapłaci jak za psa. Mańka wyjęła swoje przyrządy do manicure i obcięła babci paznokcie u prawej ręki. Wzięła jak za psa.

No więc dzisiaj Mańka delikatnie przy ósmym psie zapytała, dlaczego wszystkie nazywają się Bobik. Czy to nie jest troszkę mylące.

A właściciel na nią spojrzał jak na idiotkę i powiedział:

– Bo ja jestem Bobik. Jerzy Bobik.

Na coś takiego stać tylko faceta.

Mańka otworzyła butelkę koniaku. Żebyśmy napiły się po koniaczku przed spaniem. Potem poszłyśmy do jej sypialni. Z koniakiem, herbatą, sokiem pomarańczowym, orzeszkami solonymi z promocji „Złoty Pierścionek", popielniczką i papierosami. Weszłyśmy w ubraniu na łóżko. Mańka wpuściła swoje wszystkie cztery koty do pokoju, wyjęła albumy ze zdjęciami i zaczęła szukać pierścionka w puszce po orzeszkach. Wysypała całą zawartość, pierścionka nie było, za to ku naszej radości się nakruszyło. Potem nalałyśmy koniaku i zapaliłyśmy papierosa. Głównie dlatego, że jej mąż też nie pozwalał palić w łóżku. Potem pokazała mi wszystkie zdjęcia swojego męża. Wcale nie był fotogeniczny. O pierwszej w nocy wszedł jej syn i tylko jęknął. Było ciemno od dymu, koniaczek nam świetnie wchodził, muzyczka grała, koty leżały na poduszce, wszędzie było pełno orzeszków, a myśmy rozmawiały o seksie. Jej też się nie układało. To bardzo zabawne, że człowiek, czyli kobieta, im bardziej mu się nie układa w małżeństwie, tym bardziej cierpi, jak ono się kończy. Czy to nie zabawne? Bardzo to nas rozśmieszyło i kazałyśmy naszemu synowi iść spać.

*

Obudziłam się o wpół do ósmej. Mańka spała koło mnie, odwrócona tyłem, z kotem na plecach. Ja miałam drugiego na piersiach. Trzeci i czwarty się gdzieś ukryły. Wszędzie było pełno tych pieprzonych okruszków. I śmierdziało petami. Butelka spała obok nas.

W pełnym pędzie obudziłam naszego syna, wypiłam kefir, obudziłam Mańkę, wypiłam sok pomarańczowy, wzięłam prysznic, wypiłam szklankę mleka, Mańka zrobiła śniadanie dla nas wszystkich i wypiła sok, herbatę z cytryną, szklankę wody mineralnej, rozpuszczalną aspirynę. Zjedliśmy śniadanie, wypiłam dwie herbaty z cytryną i dwukrotnie wymyłam zęby. A i tak górale natychmiast powiedzieli, że na kaca najlepsze piwo.

Jak dobrze pójdzie, za dwa miesiące będziemy się mogły z Tosią wprowadzić.

*

Wieczór. Sypialni nie można wywietrzyć. Mańka mówi, że nie mogę zaniedbywać listów. Znowu urosła kupka. Mikołaj wszedł do mnie i powiedział:
– Matko B, nie przejmuj się, pomożemy.
Mańka przyniosła drinka, żeby nam się lepiej pracowało. Mikołaj dzieli listy – na jednej kupce o urodzie, na drugiej psychologia, na trzeciej różne. Mańka siada przy telefonie.

Droga Redakcjo,
chciałabym zostać spalona po śmierci, nie wiem, ile to kosztuje i gdzie się to załatwia. Co prawda, jestem młoda i nic mi nie dolega, ale byłabym spokojniejsza, gdyby...

Mikołaj przynosi gazetę, Mańka dzwoni do całodobowych usług pogrzebowych. Jest jedenasta. Dlaczego o jedenastej wieczorem ja muszę wiedzieć, gdzie mają kogoś spalić za czterdzieści czy ileś tam lat?

Droga Ewo,
podaję zakłady, które załatwiają taką usługę. Jednak z twojego listu wynika, że jeszcze studiujesz...

53

Zapomniałam napisać, że dzisiejsze ceny mogą być nieaktualne za sto lat. Domyśli się? Odpisujemy wspólnie na czternaście listów. Nie rozumiem, dlaczego ludzie mają takie beznadziejne problemy.

Maseczka, którą można stosować w każdym wieku, to maseczka z płatków owsianych.

No. Wiem o tym. To była pierwsza i ostatnia maseczka, którą sobie zrobiłam. Miałam trzynaście lat. W jakimś piśmie przeczytałam, że można ją stosować w każdym wieku. Najpierw przekopałam mieszkanie w poszukiwaniu płatków. Znalazłam je w pokoju ojca. Moi rodzice trzymali różne rzeczy w różnych dziwnych miejscach. Moja mama na przykład swój koniak trzymała przy Żeromskim. Ojciec natomiast przywiezionego z Ameryki „Playboya" chował w szufladzie ze skarpetami. Śmieszny miałam dom, słowo daję.

Płatki były u ojca. W szufladzie ze skarpetami, obok „Playboya". *Rozpuścić w gorącej wodzie, aż powstanie papka.* Rozpuściłam. Pół pudełka musiałam zużyć, żeby się papka zrobiła. *Papkę nałóż na twarz i przez dwadzieścia minut trzymaj, po dwudziestu minutach spłucz ciepłą wodą.* Nałożyłam. Trzymałam. Troszkę jakby szczypało, ale rzeczywiście skóra gładziusieńka i przejrzysta jak nigdy.

Zadzwoniłam do mamy, żeby się pochwalić, jaka jestem dbająca o siebie dziewczynka. Mama zapytała, gdzie znalazłam płatki, bo w domu nie było. Zanim się zorientowałam, już wsypałam ojca. Może dlatego się rozwiedli?

No to moja mama powiedziała:

– Ach, to świetnie, przynajmniej raz dobrze umyłaś twarz.

Patrzę, a na pudełku jak byk: płatki mydlane.

Nic dziwnego, że Eksio poszedł do Joli. Ta na pewno nigdy sobie nie położyła maseczki z mydła.

Jeszcze szesnaście listów. Niebieski papier. O rany!

Droga Pani,
nie wiem, skąd jad w pani liście do mnie. Nie miałem do kogo się zwrócić ze swoim problemem i pomyślałem, że pismo, które czyta moja żona, będzie mniej anonimowe niż jakakolwiek inna redakcja. Muszę przyznać, że nie spodziewałem się tak niesprawiedliwego osądu. Nie zna pani sytuacji, w jakiej się znalazłem. Nie wiem, ile pani ma lat, ale może już czas wycofać się z zawodu, skoro miłość to tak odległy dla pani temat...

O żeż ty!!! Mój Niebieski! Rzeczywiście w ostatnim liście troszkę jadu upuściłam, bo się wymądrzał. Teraz wylecę z redakcji! Sam pluje jadem, dziad jeden!

Jeśli naczelny się dowie, jak odpisuję na listy mężczyzn w potrzebie, zdradzanych biednych facetów, którzy najpierw dopuszczają do takich zaniedbań, że ich żony mają dosyć, a potem piszą żałosne listy – wylecę jak amen w pacierzu.

Jakbym nie miała innych kłopotów! A jutro znowu hydraulik i elektryk, bo muszą coś poprawić po położeniu przez górali kafelków, Tosia złapała dwie pały z matmy, Borys dokończył zżeranie obicia drzwi wejściowych u mojej mamy, muszę suszyć dom, prawie zima, bo już niedługo jesień... Boże, jeszcze mi tego brakuje, żeby mnie zwolnili z roboty!

Wstaję. Włączam komputer. Co mu mogę napisać?

Szanowny Panie,
rzeczywiście nie znam pana sytuacji i pozwoliłam sobie być może odpisać na pana list bardziej jako osoba prywatna niż redaktorka działu łączności z czytelnikami. Być może należy pan, statystycznie rzecz biorąc, do tego niewielkiego promila mężczyzn, którzy jednak myślą i czują...

Mam nadzieję, że się odobrazi. Poproszę Mikołaja, to zawiezie do redakcji jutro te wszystkie listy.

Ptak nie znak

No, wiecie ludzie! Ledwo podjechałam – Agnieszka na czas budowy pożyczyła mi małego fiata – a tu sowa! Ze złamanym skrzydłem, na środku drogi. Żywe zwierzę! Ula pobiegła po karton, i stała daleko, bo Ula uważa, że ptaki są do latania, a ja sowę, myk, do pudła i na przednie siedzenie. Czy to nie znak? Znak, że będę miała dom, swój własny, że przyjdzie w końcu elektryk, że na pewno wszystko się uda, że będzie zima lekka i nie popękają mi rury – bo mam już wodę! I ta sowa, którą Mańka wyleczy, będzie sobie mieszkać u mnie na strychu!

Znaki są bardzo ważne w życiu.

Chciałabym mieć taki charakter, żeby jeśli ktoś mi przyśle kiedyś gówno końskie w paczce, nie krzyknąć z odrazy, tylko się ucieszyć, że konik tu był.

Ładuję sowę na przednie siedzenie, a z bezpiecznej odległości Ula pyta, co ja w tej sprawie. No to ja w tej sprawie właśnie zostawiam ją z elektrykiem, bo przecież jak nie uratuję tej sowy, to z domu nici. Ula ma dobry charakter, chociaż uważa, że ptaki nie są do chodzenia po ziemi, i obiecuje, że dopilnuje elektryka. Dzwonię do lecznicy. Mańka mówi, żebym jej coś kupiła do jedzenia. Kupuję smażonego kurczaka. Nie wiem, czy ptak powinien jeść inne ptaki, ale przecież taka sowa to jest chyba ptak drapieżny. Przeganiam koty i zamykam sowę w ubikacji. Będzie się czuła jak w lesie, bo Mańka w kibelku ma olbrzymią jukę i meble ratanowe – może to nie las, ale w każdym razie przytulnie i z roślinką. Koty ustawiają się w rzędzie pod drzwiami. Koty lubią ptaki.

Przychodzi Mańka i robi łubki na skrzydło. Mówi, że trzeba by do zoo, tam mają taki oddział dla ptaków. To ciekawe, dlaczego nie mają oddziałów dla mężczyzn. Byłoby milej i bezpieczniej na świecie. Wpycham sowie do dzióbka kurczaka. Jest ospała. Przełyka, ale jakoś niechętnie. Wychodzę z tego kibelka i tłumaczę Mańce, dlaczego musi ją uratować. Że to znak. Bo jak ją uratuję, to dom też.

Mańka idzie do klopa, wyjmuje sowę z koszyczka, kładzie na stole obok gulaszu. Koty są przekonane, że szykuje im dziczyznę na kolację.

– Ty idiotko – mówi do mnie niegrzecznie Mańka.
– Ty kretynko. Jesteś nienormalna. Ty znaki widzisz, ty się lecz. To jest ptak, idiotko, i on ci domu nie postawi. Ptak nie znak!

A potem mówi, że sowa wyzdrowieje.

Po co tyle gada?

*

Dzwoniła Ula, że elektryk był. Dzwoniła Tosia i powiedziała, żebym zadzwoniła do dziadka i żeby dziadek nie zmuszał jej do jedzenia zup. Sowa siedzi osowiała w klopie. Koty siedzą pod drzwiami. Za chwilę będzie zima. Już lecą liście z drzew. Dom jest prawie gotowy, tylko ściany mokre. Namówili mnie na kominek, będzie ogrzewać cały dom, i to tanio. Innego ogrzewania nie mam. Więc palę w kominku – jest cudnie, ale nie powiedziałabym, że ciepło. Martwię się sową. Martwię się Borysem. Zadzwoniła mama i powiedziała, że Borys zżarł jej kawałek fotela. Dzwonię do ojca i mówię, żeby nie zmuszał Tosi do jedzenia zup. Ojciec mówi, żebym zadzwoniła później, bo Tosi jeszcze nie ma, ona się nie uczy, a on już zdrowia nie ma. Dzwonię wieczorem do Tosi, która mówi, że nienawidzi zup i że pani od matematyki jest głupia. Dzwonię do Borysa i mówię mu, żeby nie żarł mebli. Tfu, dzwonię do mamy i mówię, że coś wymyślę. Przecież muszę to przetrzymać. Już niedługo. Wszyscy musimy wytrzymać.

Obawiam się, że nie wytrzymam.

Dzwoni Agnieszka i mówi, żebym przed świętami przeniosła się z Tosią do niej. Pyta Grześka, co on na to, Grzesiek proponuje, żebyśmy się obie bujały.

Zważywszy na to, że dziadek może nie wytrzymać z Tosią, Tosia z dziadkiem, a mama z Borysem, postanawiamy, że ja i Tosia przenosimy się do Agnieszki, Borys przenosi się do Mańki, komputer przenosi się razem ze mną, sowa zostaje, dopóki nie wyzdrowieje, w kibelku.

Żegnam się z Mańką. Kobiety powinny się żenić wyłącznie z kobietami. Jest im o wiele lepiej razem. Oczywiście, jeśli chodzi o seks, mogą dopuszczać raz na jakiś czas mężczyznę. Jeśli chcą. Ja na pewno już nie chcę mieć do czynienia z żadnym facetem. Nigdy w życiu.

*

U Agnieszki i Grzesia jest bardzo przyjemnie. Oni mają duży dom, dwoje dzieci, w tym nieletnią moją siostrzenicę. Drugie dziecko jest bez przerwy na podwórku i gra w piłkę. Widzę je przez dziesięć sekund w kuchni, a i tak jest zasłonięte drzwiczkami lodówki. Poznaję po dresie, że to chłopak. Ale może to być syn sąsiadów, który wygląda identycznie i też buszuje w ich lodówce. Twarzy nie rozpoznaję.

Agnieszka i Grzesiek mają również psa. Pies nazywa się Kłopot i stosownie do tego imienia się zachowuje. Leży w przejściu i warczy. Mają też kota. Kot nazywa się Kleofas i jest najdroższym kotem w układzie słonecznym.

Kot raz na parę dni przychodzi do domu. To znaczy, przyczołguje się. Czasem nie ma ucha, innym razem ma rozpruty brzuch. Oni wołają weterynarza. Szkoda, że Mańka nie mieszka bliżej, bo zarobiłaby na Kleofasie na utrzymanie Mikołaja, czterech kotów i na rachunki telefoniczne, które wzrosły o sześćset osiemdziesiąt procent w stosunku do zeszłego miesiąca, bo Mikołaj się zakochał.

W Kleofasa Agnieszka i Grzesiek pakują średnio paręset złotych miesięcznie. Jego ucho kosztowało razem z leczeniem gronkowca i badaniami tego gronkowca tysiąc dwieście złotych. No to można sobie wyobrazić, ile kosztuje cały kot. Kleofas chwilowo nie jest wypuszczany, bo właśnie ma świeże szwy (sześćset złotych razem z rentgenem). Moim zdaniem, taniej by im wyszło wziąć weterynarza na pensję. Lub kupić aparat rentgenowski.

Chwilowo mieszka u nich także teściowa i zajmuje jedyny nieprzechodni pokój. Pokoi jest sześć. Architekta, który zaprojektował dom, powinno się w nim karnie umieścić do końca życia. Mimo że dom jest przestronny, mamy problem. Agnieszka mówi, że pomyślimy jutro, przecież na dwustu czterdziestu metrach znajdzie się trochę wolnego miejsca dla mnie, Tosi i komputera.

Ponieważ muszę mieć spokój do pracy, Agnieszka proponuje, żebym spała w sali pingpongowej, w piwnicy, na materacach. Bo w pokoju nieletniej siostrzenicy będzie dzisiaj spał ich synek z kumplem, w pokoju synka – Tosia, a w ich sypialni oni z nieletnią siostrzenicą, której obiecali, że będzie u nich spała. W salonie nikt nie może spać, bo jest przechodni – do kuchni, szafy i przedpokoju. Oraz łazienki na dole.

Już o pierwszej w nocy skończyliśmy się tasować, ich synek – nieletni siostrzeniec – jednak powiedział, że chce spać z rodzicami, jego kolega powiedział, że on w takim razie będzie w pokoju nieletniego, więc nieletnia siostrzenica musi spać w swoim razem z Tosią. Jest obrażona.

Schodzę do sali pingpongowej – mam najlepiej z nich wszystkich.

*

Budzi mnie o trzeciej przeraźliwy odgłos. Zamieram. Ktoś kaszle lub chrypi. Albo chrząka. Albo się dławi. Potem drapie. Szura.

Zbójcy.

Leżę i udaję, że mnie nie ma. Nie mogę leżeć długo, bo za chwilę przeraźliwy smród. Wychodzę ze śpiwora. Zapalam światło. Przy mojej głowie tłucze się Kleofas i pieczołowicie próbuje zakopać w terakocie to, co zrobił.

Biorę śpiwór i postanawiam spać w salonie. Trudno. Cichutko wyczołguję się z sali pingpongowej. Nie zapalam światła, bo obudzę cały dom. Kładę śpiwór na sofie. Sofa się rusza i mówi głosem Grześka:

– Bujaj się!

Okazuje się, że o pierwszej w nocy kolega nieletniego siostrzeńca przyszedł do sypialni, bo się boi. Grzesiek chciał iść do pokoju syna, ale tam zastał nieletnią siostrzenicę, bo jej było niewygodnie z Tosią.

Więc myślał, że przynajmniej tutaj będzie miał spokój. Przenoszę wobec tego śpiwór na mniejszą sofę. Zawsze mam najgorzej.

Grzesiek się podnosi i poza propozycją bujania się ma dla mnie propozycję zjedzenia czegoś, bo jak się denerwuje, to je, a ja go właśnie zdenerwowałam, ale ponieważ jest gościnny itd. Idziemy do kuchni i robimy sobie małe co nieco. Włączamy telewizor, bo coś może będzie. Na kanale plus właśnie zaczyna się jakiś horror. Ktoś w ciemnym pokoju grasuje z piłą tarczową. I krew, dużo krwi. Obrzydliwe! Oglądamy oczywiście.

O piątej schodzi Agnieszka, która szuka Grzesia, bo obudziła się w towarzystwie nieletnich młodzieńców, a jest przywiązana do męża. Pije z nami herbatę. Mówię, że Kleofas ma sraczkę.

– Och – martwi się Agnieszka – to na pewno po antybiotykach.

W ogóle nie przejmuje się faktem, że Kleofas swoje dolegliwości żołądkowe umieścił przy mojej głowie.

O szóstej zbiegają chłopcy. Pytają, czy mogą iść grać w piłkę. Jest minus dwanaście. Pada śnieg. Agnieszka każe im natychmiast iść do łóżka. Za chwilę schodzi nieletnia siostrzenica i pyta retorycznie, dlaczego w innych domach ludzie śpią, a ona niestety do takiego domu nie trafiła. Oraz grozi, że kogoś zabije.

Wtedy pies Kłopot uznaje, że dzień się rozpoczął, i chce natychmiast wyjść na spacer. Grzesiek wkłada kożuch na piżamę i wychodzi. Kleofas, korzystając z zamieszania, wybiega za nimi w śnieg. Agnieszka krzyczy na Grzesia, żeby go gonił, Grzesiek krzyczy na Agnieszkę, żeby się bujała, na Kłopota, żeby się bujał w szczególności i nie ciągnął, na Kleofasa, żeby się bujał w ogóle i na zawsze.

Nieletnia siostrzenica wrzeszczy, że chce choć odrobiny spokoju i chce spać, chłopcy krzyczą, że przecież już są cicho, Tosia krzyczy, dlaczego ją obudzili, jak ona nawet własnego domu nie ma, i że chce do dziadka. Nieletnia krzyczy na Tosię, żeby nie krzyczała, skoro ona jej swój własny pokój odstąpiła, i to ona nie ma gdzie spać, i w ogóle. Agnieszka krzyczy na nieletnią, żeby się zachowywała.

Schodzę na dół i ścieram guano Kleofasa. Otwieram okno. Wracam po koc. Zamykam okno, wracam po drugi koc i śpiwór. Przesuwam pod drzwi stół ping-pongowy. Nikt się do mnie nie dostanie.

Zasypiam.

*

– Nie zdołasz się wprowadzić nawet przed świętami wielkanocnymi – mówi mi sąsiad, który przynosi w prezencie trzy pary drzwi, bo właśnie u siebie wymienił na jeszcze lepsze. Na dworze ziąb. – Założę się o skrzynkę szampana, że się nie wprowadzisz przed świętami.

Zakładam się.

Potem się dowiaduję, że wszyscy sąsiedzi się zakładali, czy mróz rozwali u mnie rury. Jedni byli za tym, że rozwali, ale przed świętami Bożego Narodzenia, drudzy, że po Nowym Roku. Rury nie pękły. W drugi dzień świąt Bożego Narodzenia jadę do Mańki – zadzwoniła, żebym pilnie i natychmiast. Pilnie i natychmiast okazało się, że samochód siadł zupełnie. Akumulator zdechł. Proszę Grzesia, żeby mnie podwiózł, Grzesiek, jak zwykle, najpierw namawia mnie, żebym się bujała, potem odwozi mnie do Mańki. Ledwo mogę się przywitać, Borys szaleje, tańczy w kółko za własnym ogonem (tu też wydrapał drzwi wejściowe), a ja wpadam do klopika, żeby zobaczyć sowę. Po sowie ani śladu. Boże, domu nie skończę, zakład przegram, a tak lubię szampana. Mańka wchodzi za mną do środka, cóż za upadek obyczajów!

– Ty kretynko, ty idiotko jedna, zawiozłam ją do zoo, nie umiem leczyć połamanych skrzydeł, tu jest telefon, powinnaś mi być wdzięczna, że jechałam półtorej godziny przy takiej cholernej pogodzie do tego cholernego zoo, a jeszcze korek od samej trasy, ty kretynko od znaków! Tam ją wyleczą!

I wcisnęła mi w rękę kartkę z telefonem. Nie lubię, jak się mnie nazywa kretynką i idiotką, ale tak się ucieszyłam, że Mańkę ucałowałam.

No i wydało się, co tak pilnie i natychmiast. Zakochała się! Wystarczyło ją na trzy tygodnie zostawić, a już nie pamięta, że mężczyźni są przyczyną bólu i łez! Że owszem, można lubić niektórych, ale przecież nie należy się wiązać! A w najlepszym wypadku są niefotogeniczni, tak jak nasi byli mężowie! Że zawsze zaczyna się od zakochania, a potem klops. Ona już w ogóle o tym nie pamięta. Oczy zamglone i tylko powtarza:

– Ale on jest inny.

Czyżby zapomniała, że oni wszyscy są tacy sami? Inny... W życiu nie widziałam innego mężczyzny. To znaczy różnią się, oczywiście zewnętrznie – i też tylko trochę – od... na przykład od prezydenta. I to też niektórzy. Ale Mańka, widzę, stracona dla świata. Już po niej.

Ustrzeż mnie, Panie, od mężczyzny, o którym pomyślę, że jest inny.

Borys wyje, kiedy wychodzę.

*

U mnie w domu kończy się gipsowanie ścian. I jest zimno, mimo że kominek pełną parą. Ale to nic. Teraz już będę miała tak, jak chcę, i już nikt nigdy, i tak dalej... Jeszcze parę dni. Jeszcze tylko parę dni.

Jak zwykle wieczorem, zaczyna się problem, kto gdzie dzisiaj śpi. Dzisiaj jest jeszcze koleżanka nieletniej siostrzenicy, za to nie ma kolegi syna. Tosia jest u dziadka, bo się stęskniła, ale przed chwilą zadzwonili znajomi z dworca, że jutro lecą na Kanary i czy mogą się u nich przespać. Grzesiek próbował wtrącić, żeby się bujali, ale Agnieszka krzyknęła: oczywiście. A potem rzuciła w przestrzeń:

– Drzewa umierają, stojąc, siadaj, mamo.

Jej matka popatrzyła na nią z obrazą w oku i usiadła.

Znowu będę spała z Kleofasem w ping-pongu, Kleofas ma gwóźdź w biodrze, bo wrócił połamany i znowu jest na antybiotykach. Gdyby nie fakt, że będę miała swój własny dom, już bym się powiesiła. Jutro jadę do redakcji po kolejną partię listów.

*

Jest mi smutno. Ostatni raz siedzę w ping-pongu. Na jutro jest zamówiony samochód. Od jutra mieszkamy u siebie. Razem – Tosia, ja i Borys. Żadnych więcej mężczyzn w moim życiu. Czy naprawdę wartość kobiety mierzy się tylko facetem, z którym jest?

Złotozębna urodziła synka. Tosia była u nich – to znaczy u ojca, to znaczy u Eksia. Wróciła zachwycona. Powiedziała, że będzie mieć dziecko, jak najszybciej.

Powinnam wziąć się do listów, znowu mam dwadzieścia cztery. Ale jakoś smutno mi się zrobiło. Wolałabym, żeby Tosia tak tam chętnie nie chodziła. W ogóle, najlepiej żeby wyjechali, w cholerę.

Droga Redakcjo,
  mój mąż zostawił nas przeszło sześć lat temu. Teraz odezwał się do syna, którego przez lata zaniedbywał, i chce z nim utrzymywać stosunki, syn już nie pamięta wyrządzonych nam krzywd...

Następny tak zwany mężczyzna!

Droga Pani,
choć moje słowa wydadzą się pani okrutne, będę
szczera. To cudownie, że syn pani, choć po latach, odzy-
skał ojca. Mądrość matki polega między innymi na tym,
żeby ułatwić i zaakceptować fakt, że syn potrzebuje ojca,
i ułatwić...

Syn tak, proszę bardzo. Ale wolałabym, żeby Jola
nie była taka miła dla Tosi. Ostatecznie to nie jej
dziecko! Ma swoje!

O, i znowu Niebieski! Może jego żona, pozbawio-
na resztek samoświadomości, jednak wróciła?

Szanowna Pani,
otrzymałem pani zgryźliwą wypowiedź na temat
mężczyzn. Zastanawia mnie fakt, czy jest pani w tej samej
sytuacji co ja? Bo tylko to usprawiedliwiałoby taką nie-
chęć do mężczyzn, skłonność do uogólniania...

Co jest do cholery? Ja i niechęć do mężczyzn?
Że szczerze mu napisałam o powodach... O, nie!

Właśnie przyszedł Grzesiek i zapytał, czybym się
nie pobujała przy brydżu, bo jest czwórka. Owszem,
pobujam się, listy nie zając, nie uciekną. To nasz ostatni wieczór.

Grzesiek szuka kart, ja próbuję dowiedzieć się, jak
dziś śpimy, Agnieszka prosi nieletnią siostrzenicę, żeby wzięła z salonu torbę, była uprzejma zanieść ją do
swojego pokoju i wróciła, bo ona ma do niej słów parę.

Moja nieletnia siostrzenica, nie dość że nieletnia,
to ma jeszcze poglądy. Ja się nie wtrącam – zawsze
przyjemniej z boku patrzeć, jak się inni z dziećmi mę-

czą. Oprócz poglądów ma niewyparzony ozór, źródło mojej nieustającej radości, i koleżankę, której unika. Ponieważ po raz kolejny odwróciła się do niej tyłem – została wezwana na rozmowę poważną.

Ich pies leżał rozwalony w przejściu – nie wiem, czy zauważyliście taką prawidłowość – im większy pies, tym bardziej w przejściu, ich kot drapał w szybę, żeby go wypuścić – nikt tego nie widział (a ja byłam gościem), ich syn biegał radośnie po salonie, kopiąc piłkę, i nie zwracał uwagi na ich uwagi, ich radio grało w kuchni za głośno – ot, taki zwyczajny obrazek rodzinny.

Między warknięciem psa na piłkę, stukotem nóżek synka, głosem pana z Radia Zet, który głośno wychwalał nową hurtownię dywanów, prośbą mojej kuzynki, żeby ktoś w końcu otworzył kotu, usłyszałam odrobinę poważnej rozmowy. A mianowicie, żeby moja nieletnia siostrzenica jednak nie traktowała tak lekceważąco koleżanki. Żeby jednak sobie wyobraziła, co to znaczy być na jej miejscu. Żeby jej okazała odrobinę serca. I przyjaźni. Oraz była tolerancyjna. Odpowiadała grzecznie na pytania. Spróbowała nawiązać kontakt. Bo ludzie są różni. Ci, którzy wydają się mało atrakcyjni, mogą być wspaniali. Itd., itd., bardzo słuszny wywód.

Nieletnia siostrzenica próbowała wtrącić, że nie musi się z każdym zaprzyjaźniać i że tamta i tak nie słucha, i że ona nie chce, nie może, nie będzie.

Pies w końcu się zdenerwował i złapał zębami piłkę, ich syn zaczął krzyczeć i domagać się natych-

miastowej interwencji w sprawie ewentualnego roz-
szarpania piłki, ja otworzyłam kotu, radio darło się
"jestem kobietą", a moja kuzynka kontynuowała
słuszny wywód. Niepokorna nieletnia siostrzenica
obiecała, że zmieni nastawienie, i na tym posiedzenie
zostało zamknięte. W ostatnim słowie jednak dodała:
"Wy nic nie rozumiecie".

Tu Grzesiek postanowił interweniować i zapytał,
czego nie rozumiemy. Nie wiem, dlaczego mnie w to
włączył, ja rozumiałam wszystko.

A nieletnia pyta:

– Pamiętacie, jak miałam zapalenie oskrzeli?

Pamiętaliśmy.

– A pamiętacie, że tydzień mnie nie było w szkole?

Też pamiętaliśmy. Muzyka od rana na full.

Nieletnia sięgnęła po jabłko.

– Umyj ręce – powiedział jej ojciec.

– Ja z nią nie wytrzymam – oznajmiła i ugryzła
jabłko.

– A co się stało? – zainteresowała się jej matka.

– Ona jest straszna.

– Nikt nie jest straszny – próbowała pedagogicznie
jej matka.

– Opowiedz nam o tym – zaproponował jej ojciec,
który wypiera się, jakoby oglądał amerykańskie psy-
chologizmy.

– No więc – nieletnia położyła nogi na stoliku – po
tygodniu przyszłam do szkoły, pamiętacie?

Pamiętaliśmy. Odetchnęliśmy z ulgą. Wtedy, rzecz jasna.

– A ona mnie pyta, dlaczego nie byłam w szkole przez tydzień. To jej mówię, że chorowałam. A ona mnie pyta, co robiłam. To jej mówię, że chorowałam. A w poniedziałek? Chorowałam. A we wtorek? Leżałam i czytałam. A w środę? Leżałam i oglądałam telewizję.

Już-już widziałam, jak chcą przerwać ten wywód i kazać jej przejść do sedna, ale się powstrzymali.

– A ona mnie pyta, a w czwartek? Też leżałam. A co robiłaś w weekend? No więc jej powiedziałam, że w sobotę, jak tylko wyszli ostatni goście i ojca odwieźli do izby wytrzeźwień, to posprzątałam wybite szyby, butelki zaniosłam do skupu, za te pieniądze pojechałam do Warszawy...

Nagła bladość wypełzła im na twarz. Nie zdziwiłam się.

– ...i dałam sobie w żyłę. Spałam u ciotki, bo dom się sfajczył i nikt niczego nie zauważył.

Twarz mojej kuzynki teraz oblekła się rumieńcem, ale jej czujny mąż chwycił ją za rękę i głosem niezwykle spokojnym zapytał:

– I co ona na to?

– No właśnie – powiedziała nieletnia siostrzenica.

– I wtedy ona zapytała: a co robiłaś w niedzielę?

Zamilkliśmy.

Nieletnia położyła ogryzek na stoliku i ciągnąc torbę po podłodze, udała się do swojego pokoju. Popatrzyliśmy po sobie niepewnie. Byłam wstrząśnięta. Nieletnia zamknęła za sobą drzwi.

Wtedy mój szwagier załkał. Spojrżałam na kuzynkę. Też się dusiła. Ze śmiechu. Grzesiek podniósł się i zaczął znów szukać kart. Agnieszka podniosła się i zapytała, kto wypuścił Kleofasa, skoro miał siedzieć w domu. Grzesiek wdzięcznie powiedział, żeby Kleofas się bujał.

Jak to dobrze, że od jutra będę miała swoje własne życie i nie będę musiała przejmować się nieletnimi siostrzenicami, kotami, psami i życiem rodzinnym mojej kuzynki.

*

O pierwszej w nocy siadam do komputera. I piszę do Niebieskiego.

Szanowny Panie,

dziwię się, że próbuje pan ze mną korespondować na mój temat. Moja praca polega na udzielaniu profesjonalnej pomocy i informacji innym ludziom. Pan, widzę, zaczyna zabawiać się moim kosztem. W psychologii przypisywanie komuś cech, których nie jest się do końca u siebie świadomym, nazywa się przeniesieniem. Mam okazję zaobserwować na przykładzie listów od pana, jak przeniesienie działa.

Sądzę, że to pan żywi niechęć do mężczyzn, i trudno się dziwić, skoro jeden z nich potrafił rozkochać w sobie pańską żonę. Choć nigdy nie udzielam o sobie informacji – tym razem odstąpię od tej zasady i zwierzę się panu, że

nie miałam nigdy żony i mnie żona nigdy nie musiała zdradzać. Tak że nie żywię w stosunku do mężczyzn (w przeciwieństwie do pana) żadnych uczuć, ponieważ nie mogą być moimi rywalami.
Z poważaniem w imieniu redakcji...

Cóż za bezczelny facet!

Już jutro po raz pierwszy w życiu we własnym domu! Och, jakie życie jest piękne! Żadnych Kłopotów i Kleofasów, żadnych nieletnich siostrzenic i grona ich koleżanek, żadnego bujania się, kłopotów żołądkowych, grania w piłkę w domu, w brydża do trzeciej – spokój, cisza – nowe życie!

Rozpakowujemy się

Ależ mój sąsiad od drzwi ma gest! Przyszedł z żoną i ze skrzynką szampana, i to wcale nie „Dorato", tylko normalny, prawdziwy szampan. W życiu takiego nie piłam. Napaliłyśmy z Tosią w kominku. Przyszła Ula – bo tylko ona wie, co gdzie jest, przecież mnie pakowała. Jutro Mańka przywiezie Borysa! Mam piękny ogród – to znaczy piękny kawałek ziemi. Za chwilę będzie wiosna! Zrobię dietę, rzucę palenie, posadzę takie roślinki, jakie ma Ula! Otwieramy szampana – jest zimno, ale szampan świetny!

Rozpakowujemy się. W pierwszej paczce słownik. Ten z fusami w środku. Ula spakowała jego książki? Otwieram z niesmakiem. Brudnawe plamy. Fusiki ładnie przywarły. A na przodzie dedykacja: „Judycie za zdobycie pierwszego miejsca w konkursie «Ja i Lenin»", o psiakrew, to moja własna książka z dzieciństwa socjalistycznego – obrzydliwe fusy w mojej książce, nienawidzę mojego psa!

*

W nocy wstaję i dokładam do ognia. Szukam śpiwora i drugiej kołdry. Wkładam dres na piżamę. O Boże, nie, tylko nie tak jak z tym od Joli! Ma być zupełnie inaczej!

Od jutra nie palę!

*

No, po prostu strasznie się cieszę! Cieszę się, ale trochę mi smutno. Tosia w szkole, ja próbuję podłączyć komputer, ale nie umiem. Nie mogę nawet pracować. Nikt mi nie zaproponuje bujania się. Samochód nie zapalił. Za to ja zapalam. Nie mam żadnej woli, nie mówiąc o silnej. Nie mam telefonu. Jestem tak strasznie samotna i wszędzie jest daleko. Drzwi wejściowe się nie zamykają. Bo się spaczyły. Na noc podkładam grabie pod klamkę. Miał przyjść specjalista od spaczeń, ale nie przyszedł. Wiadomo, facet.

Jutro muszę być w redakcji. Ale przyjedzie Borys, to będzie pilnował. I nie mogę zadzwonić do mamy ani do taty. Dobrze, że Ula jest przez płot.

*

Wieczorem przyjechała Mańka, Borys oszalał, od razu znalazł dziurę pod bramą i uciekł. Złapałam go przy kolejce. O mały włos nie złamałam nogi w dziurze przy kolejce. Czy to był dobry pomysł, żeby tu mieszkać?

Mańka przyniosła mi pudełko przewiązane śliczną czerwoną kokardą – prezent na nowe mieszkanie. Zapytałam, czy do jedzenia – w domu nic nie ma, bo przecież ten cholerny samochód nie zapalił. To nie był dobry pomysł, żeby tu mieszkać. Ale nikt się o tym nie dowie. Poradzę sobie. Otwieram pudełko – a tam koteczek! Jak żywy! Maleńki jak pół mojej dłoni! No, jeszcze mi kota brakowało! Tosia oszaleje ze szczęścia.

Koteczek natychmiast kuca w kuchni i sika na podłogę. I piska! Borys podchodzi i liże go. Tosia wraca ze szkoły i niemieje ze szczęścia! Cudowny, przemiły koteczek!

*

Kot Mietek ma się dobrze. W ciągu paru dni troszkę urósł. Tosia karmi go strzykawką z mlekiem, mimo że on już sam wcina żarcie z puszki. Jest trzykolorowy. Śliczny. Ula pomogła mi się do reszty rozpakować. Jest pięknie. Mam drewniany sufit. Czuję się jak w domu. To był najlepszy pomysł mojego życia. Mietek zaczepia Borysa. Gonią się po całym domu. Mietek schował się pod kredens w kuchni i tam się zaklinował. Borys prosto z błota wskakuje na fotel. Mietka nie mogłam wyjąć, musiałam prosić Krzysia i Ulę o pomoc. Kiedy odsuwaliśmy kredens, spadło sześć talerzy i filiżanki. Potłukły się cztery. Może na szczęście.

Wypiliśmy kolejnego szampana. Wieczorem przyjechała Agnieszka. Załatwiła mi telefon – dadzą mi specjalną linię! Będę miała swój własny telefonik i będę mogła gadać godzinami ze wszystkimi, którzy są daleko. I na pewno zadzwoni mama i tata i coś mi doradzą. Nie będę się czuła taka samotna! Boże, widzę, że porzuciłeś tę smutną statystykę, jeśli chodzi o moją osobę!

*

Podłożyłam grabie pod klamkę i pojechałam do redakcji. To wcale nie tak daleko, mniej niż godzina. Bardzo przyjemnie się jedzie. Można poczytać i w ogóle. Przyzwyczaję się.

W redakcji zagadnął mnie naczelny. Machał „Playboyem", spytał, czy już wiem, że łechtaczka jest dwa i pół raza większa. Nie wiedziałam. Zapytałam od czego. Jeśli od tego, co mam na myśli, to nic dziwnego, że jest tak mało udanych związków – statystycznie rzecz biorąc.

On i tak mnie nie słuchał, tylko pomknął do swojego gabinetu. Mam nadzieję, że nie wpadnie mu do głowy przeglądać listy. Mam nadzieję, że będzie zajęty łechtaczką, co daj Boże.

Biorę swoją robotę, robię zakupy, wsiadam w kolejkę. Zahaczę o Mańkę i wezmę miskę Borysa, bo zapomniała przywieźć. W kolejce tłok. Stoję. Cholerny świat, jednak to wcale nie tak blisko. Ale umawiam się ze sobą, że to jest mój ulubiony środek lokomocji.

Przed oczami mam napis, który wprawia mnie w dobry humor, a brzmi on mniej więcej tak: ,,Podróżowanie bez biletu będzie karane. Za podróżnego bez ważnego biletu uważa się takiego podróżnego, który biletu na przejazd nie posiada". Również uradował mnie napis dyrekcji PKP, że przewożenie środków żrących i cuchnących będzie karane.

Zważywszy, że już na następnej stacji wtoczyło się do wagonu dwóch panów odpowiadających powyższemu opisowi, byłam spokojna, że kolej mnie tylko straszy. Zresztą oni przewozili się sami. Ledwie trzymali się na nogach i używali wyrazów seksualnych. Panowie cuchnący i żrący jechali szczęśliwie jedną stację, do najbliższego otwartego monopolu, ale zdążyli powymieniać uwagi na temat nieznanych mi osób głośno i wyraźnie. Rozmowa była krótka:

– Pierd...isz?!
– A skąd. Prawdę mówię.
– A ona?
– Normalnie wyrzuciła mnie za drzwi.
– A to k...a.

Coś podobnego! Po panach cuchnących pozostał tylko zgniły zapach przetrawionego alkoholu. A ja dowiedziałam się nowego znaczenia słów uchodzących za nieprzyzwoite: pierd...ić oznacza – mówić bzdury, oszukiwać, nadobna zaś k...a – jest kobietą, która nie daje byle komu (a jeszcze niedawno było wprost przeciwnie).

Co za śmieszny świat.

*

Mańka nieprzytomna. Jakieś towarzystwo u niej siedzi i ten jej mężczyzna – no, owszem, miły.

Dziecię lat około sześciu popatruje spod oka na dorosłych. Nurkuje pod stół. Ciągnie pod stołem za ogon. Kota. Chcę tylko wziąć miskę Borysa, ale Mańka każe mi usiąść, a jak ona każe, to ho, ho. Rozgarnięte dziecię wreszcie zostaje podrapane i podnosi wrzask. Mama wyjmuje dziecię spod stołu i surowo patrzy na Mańkę. Mogłaby sobie tak patrzeć w nieskończoność, bo Mańka patrzyła na mężczyznę. On też zresztą oka z niej nie spuszczał. No cóż, następna spośród nas stracona dla świata.

A potem nastąpiła tragedia. Dziecię wyrwało mamie szklankę, krzycząc: „Ja chcę coli", i zanim mama zdążyła cokolwiek zrobić, wypiło drinka, następnie opluło tymże drinkiem mamę, siebie oraz suto zastawiony stół, następnie zostało wzięte do łazienki w celu wyczyszczenia i przepłukania buzi, przy czym mocno protestowało, a potem wyszło z łazienki i zapytało:

– Czy tu mieszkała ta sowa, co zdechła?

Mańka przebudziła się ze stuporu. Wszyscy zamarli i spojrzeli na mnie. Mówili o mojej sowie, która była w zoo! Zbladłam.

– Ty kretynko – krzyknęła do mnie Mańka. – Ty idiotko! Co ci miałam powiedzieć, że zeszła? Ona od początku była nie do uratowania, a ty byś tego cholernego domu nie miała, ty kretynko, ty idiotko, to musiałam ją oddać do zoo! Nic by się nie udało! Ty przesądna kretynko, ty!

Goście zamarli. Dziecię zamarło również. Pomyślałam, że są granice, które można przekraczać. Nie czułam się jak kretynka. Widziałam pełne łez oczy Mańki, której nie udało się uratować sowy. Ale która zrobiła coś znacznie, znacznie więcej. I ostatnia rzecz, którą czułam, to uraza.

Wróciłam do domu ostatnią kolejką. Tosia siedziała przy kominku z córką Uli i zajadała zupę, którą jej przyniosła Ula. Mietek tańczył pośrodku dywanu, szarpiąc paprotkę. Przeniosłam paprotkę do kuchni, na okno, i tak go teraz nie będę szeroko otwierać. Borys nawet łba nie podniósł na mój widok. Wzięłam się do zmywania naczyń.

Ale i tak będę wierzyć w znaki.

*

Po drodze do redakcji spotykam znajomą. Taką, co mnie nie lubi.

– Słyszałaś, że Jola ma dziecko?

– Tak? – dziwię się. – Z kim?

Patrzy na mnie jak na głupią.

– No jak to?

Myślała, zołza jedna, że mnie zaszczuje. A teraz musi się tłumaczyć.

– No wiesz... z twoim...

– Aa – macham lekceważąco ręką – przecież od dawna to planowali. Myślałam, że coś nowego w przy-

rodzie. Śliczny chłopiec – dodaję perfidnie – takie jaś-
niusieńkie włoski i ciemne oczy, rozkoszny! Wiesz,
ważył cztery sto, prawdziwy byk! – entuzjazmuję się.
Nie dam zołzie satysfakcji, żadnej złości, bólu
serca. Wytrącę jej to fałszywe współczucie z oczu. No,
oczywiście, że mam rację. Współczucie powoli zamienia się we wściekłość. Nie dowali mi, o, nie!
    – Myślałam, że byliście dobrym małżeństwem –
mówi z goryczą.
    – Bardzo dobrym i dlatego teraz sobie dobrze ży-
czymy – kłamię w żywe oczy, a pod powiekami jawi
mi się Jola obsypana ospą.
    Uśmiecham się.
    – Nie przypuszczałam, że tak to zniesiesz. –
W głosie znajomej, co mnie nie lubi, pobrzmiewa nut-
ka rozczarowania. – Nie myślałam, że jesteś pozba-
wiona uczuć.
    Nie ma to jak wsparcie innej kobiety.
    I pomyśleć, że tak niedawno dziwiłam się Mańce!
Mańka ma taką pracę, że czasem pracuje z mężczyzną,
a czasem z kobietą. I mówi, że z mężczyznami to jakoś
idzie się dogadać. Bo co robi kobieta, która chodzi do
pracy i jest w tej pracy od godziny ósmej do szóstej?
I chce dbać o siebie? Taka kobieta kombinuje, jak
wyjść w czasie pracy, szczególnie jeśli się nic nie dzieje. Do solarium albo na pedicure. Jeśli z nią na dyżurze
jest mężczyzna, wszystko jest OK, po prostu mówi:
,,Idę do solarium, będę za pół godziny". Mężczyzna takich rzeczy nie rozumie, ale je szanuje. Kobieta nato-

miast słowo ,,solarium" rozumie, ale tego w ogóle nie szanuje. No bo ona idzie, a ja nie? Ona ma pieniądze na fanaberie?

Więc Mańka stosuje taką metodę. Kręci się, kręci po lecznicy, nikogo oprócz niej i koleżanki nie ma.

– Muszę iść po kaszankę – mówi wreszcie.

W słowie ,,muszę" zawarta jest nie chęć czy fanaberia, tylko głęboki przymus, w domyśle: muszę, bo nie mam co jeść, w głębszym domyśle: mam tylko na kaszankę, ona uratuje życie mnie i mojej rodzinie. Trzecie dno natomiast takiej zbitki ,,muszę" i ,,kaszanka" znaczy: wiesz, gdybym szła po zakupy, to co innego, ale przecież jestem w tak strasznej sytuacji finansowej, że chyba nie masz nic przeciwko temu? Słowo ,,zakupy" mogłoby wywołać niepotrzebne skojarzenia, np.: to ty pod koniec miesiąca masz jeszcze forsę? Oraz, co za tym idzie, prosty wniosek, że skoro masz pieniądze, to musisz też znaleźć czas, najlepiej po pracy.

Więc jeśli Mańka musi iść po kaszankę, to, rzecz jasna, jej towarzyszka patrzy na nią współczująco i mówi: ,,idź". Mańka wsiada do swojego nowego samochodu i pędzi do solarium. Czasem wraca czerwona. Bo solarium, jak wiadomo, czasem opala, a czasem najpierw zaczerwienia, nie wiadomo dlaczego.

Pytam Mańkę, czy ta pani się nie orientuje, że ona po solarium, co widać gołym okiem.

– Eeee – mówi Mańka – jak miałam stary samochód, to mówiłam, że mi sukinsyn wysiadł i musiałam pchać, i dlatego taka czerwona jestem.

Mądra Mańka, nawet jeśli ma na sobie dobre ciuchy, które przed chwilą budziły zazdrość towarzyszki, to teraz myśl, że musiała pchać samochód w tych ciuchach, budzi satysfakcję, pokrytą zgrabnie współczującym: ,,och, to straszne''.

I owa towarzyszka wyobraża sobie przepocenie takiej kobiety pchającej samochód, bo przecież nawet najlepszy nowy inteligentny dezodorant, który chroni przez dwadzieścia cztery godziny, wypuszczając co jakiś czas mikrogranulki, które się utleniają, i dzięki temu itd., nie jest przygotowany na ewentualność pchania samochodu. A poza tym towarzyszka owa ma samochód lepszy, którego pchać nie musi. I problem ciuchów już jest nieistotny, szczególnie wobec kaszanki.

Tak było kiedyś. Teraz Mańka ma nowy samochód, który się nie psuje. A do solarium jeździ. Pytam:

– A teraz co mówisz, jak wracasz czerwona jak burak?

– Och – Mańka się rozpromienia – mówię, że mam uderzenia. Że klimaks mnie dopadł. Żebyś wiedziała, jak teraz mnie lubi! Jak mi współczuje, że tak wcześnie!

Więc może powinnam dać satysfakcję mojej znajomej, co mnie nie lubi, rozpłakać się, zacząć narzekać, biadolić, poczułaby się lepiej, że to nie jej mąż zrobił dziecko Joli. Niemądra jestem. Teraz zamiast współczującej towarzyszki mam wroga. Powinnam była dłużej mieszkać u Mańki – więcej bym się nauczyła.

Wszyscy oni są tacy sami

W redakcji naczelny krzyczy:
– Pani Judyto, proszę na chwilę!
Robi mi się słabo. Ale – okazuje się – proponuje mi przejście na etat.

– Nie lubię chwalić dnia przed zachodem słońca – zaczyna – ale rzeczywiście od czasu, kiedy tu pani pracuje, przychodzi więcej listów z podziękowaniami, i to kierowanymi na pani ręce. Proszę! – dramatycznym ruchem ogarnia stos papierów na biurku.

Pode mną uginają się nogi. Rozpoznaję niebieską kopertę. Ta kupka jeszcze nieruszona. Poskarżył się Niebieski, ani chybi. Nie chcę etatu! Nie chcę. Przecież mieszkam na wsi – nie mogę codziennie przyjeżdżać do Warszawy. Poza tym wyrzuci mnie, jak tylko przeczyta list od Niebieskiego. Mężczyźni są wredni! Zamiast napisać normalnie do mnie albo w ogóle przestać bombardować redakcję listami, to ten nierób (jaki człowiek w tym kraju ma czas, żeby tak się zabawiać!) znalazł sobie rozrywkę!

Nieśmiało dukam, że etat to nie, w związku ze zmianą sytuacji życiowej itd. raczej stałe zlecenia – bełkoczę coś i bełkoczę.

– No, jak pani chce, ale... – i tu sięga po niebieską kopertę.

O Boże, dlaczego mi to zrobiłeś?

– Proszę – wyjmuje niebieską kartkę.

Boże, niech coś się stanie!

– *Droga Pani Judyto*... No właśnie, o to mi chodziło, żebyśmy nie byli anonimowi, to się pani świetnie udało, choć nie lubię chwalić dnia przed zachodem słońca, jak już powiedziałem. – Składa kartkę, wsadza do koperty, podaje mi ją z całą resztą. – To tyle, dziękuję. Pomyślimy o pani, pomyślimy... Może trzeba panią wykorzystać do czego innego? A może by pani napisała coś o seksie? – Błysk w jego oku jest przerażający.

O seksie to ja mogę napisać, że jest zupełnie zbędny, przereklamowany, wiem to z własnego doświadczenia, i można bez niego żyć.

– Tak, może coś o seksie – naczelny już wsadził nos w „Hustlera". – To teraz takie modne! No, to się umawiamy w przyszłym tygodniu, coś ostrego, coś pikantnego, coś nietuzinkowego, coś, co zainteresuje czytelnika!

Czytelniczkę raczej, bo przecież jesteśmy gazetą dla kobiet, no i oczywiście Niebieskiego. Przyciskam do serca te wszystkie listy, których nie zdążył przeczytać. Już muszę iść, natychmiast.

– Oczywiście, zrobi się – mówię wbrew sobie.

– Bardzo dobrze, bardzo dobrze, właśnie o to chodzi – mówi naczelny i nawet nie zauważa, jak się wycofuję rakiem. – To na środę! Coś, co wzburzy czytelników.

Jestem sama wystarczająco wzburzona. Dlaczego wszyscy myślą, że świat opiera się na seksie?

*

W kolejce dziś przyzwoicie. Siadam naprzeciwko tabliczki: ,,Za podróżnego bez biletu uważa się takiego podróżnego, który biletu nie posiada...''

Czuję wiosnę w powietrzu. Dwie starsze panie siadają naprzeciwko mnie. Porządnie starsze. Razem mają ze dwieście lat. Kapelusik, czapeczka z futerkiem, rękawiczki wykończone koronką. Jedna nachyla się do drugiej, ale ponieważ są przygłuche, rejestruję każde słowo.

– Ty wiesz, że ona do fryzjera chodzi? – mówi kapelusik. – Nie tylko się czesze, rozumiesz?

– A co?

– Ona się farbuje! – kapelusik jest oburzony.

– Tak, tak – czapeczka kiwa się na obie strony. – Z nią od zeszłego roku jest jakoś tak... – Urękawiczona dłoń zawisa w powietrzu.

– Ona nie tylko się farbuje, ale jeszcze robi oczy!

– Co ty powiesz?

– Tak! – triumf w głosie kapelusika zagłusza nawet stukot kolejki. – Sama widziałam!

– A gdzie?

– W zakładzie odnowy biologicznej w Pruszkowie, wyobraź sobie!

– A co ty tam robiłaś? – czapeczka wydaje się zdziwiona.

– No wiesz! – kapelusik obraża się i patrzy w okno. Milkną.

– Hennę robi – kapelusik wraca po chwili do tematu. – W tym wieku! Przecież ona jest...

– Dwa albo trzy lata młodsza od ciebie – czapeczka ma piskliwy głos.

– No właśnie!

– W tym wieku jej chłop potrzebny? To się nie godzi!

– Razem wyjeżdżają!

Oburzenie w głosie rozumiem. Wyjazd z facetem, nawet stuletnim, jest rzeczą straszną. Naganną. Nie do wybaczenia.

– W tym roku byli na Teneryfie! – kapelusik zapluwa się. – Wyobraź sobie! Z tej renty po mężu?

O, to już mi jest bliższe. Też chciałabym mieć dzisiaj rentę po mężu. I jeździć na Teneryfę z innym panem.

– No właśnie – czapeczka kiwa smutno czapeczką.

– No właśnie... Jeździ sobie po świecie na starość... – W jej głosie brzmi tęsknota.

Wniosek jest jeden. Skoro stuletnia pani dba o siebie, ja też muszę. Od jutra! Kapelusik i czapeczka milkną. Otwieram niebieską kopertę.

Droga Pani Judyto,
nie chcę być niegrzeczny, ale pani ignorancja się-
gnęła zenitu. To nie Jung, tylko Erika Jong, jedno było
mężczyzną, drugie kobietą. Książka, na którą się pani
nieopatrznie powołuje, jest zupełnie, ale to zupełnie
o czym innym.

Niemożliwe! Przecież wyraźnie mu napisałam, już ze dwa tygodnie temu, żeby sobie poczytał Junga, skoro chce ze mną dyskutować na tematy psychologiczne. Bo trudno mi się zniżać do poziomu niedouków. A przecież Ula mi mówiła, że Jung... Ale imienia nie mówiła. O cholera, ale wpadka.

Wnoszę ze sposobu, w jaki pani mnie nieustannie
obraża, że mam do czynienia z feministką, niezrealizowa-
ną kobietą zawsze w spodniach, która może tylko zazd-
rościć kobiecym kobietom ich kobiecości, a sama nie
przywiązuje wagi ani do swoich poglądów, ani wyglądu.
Czy mam rację?

O, co za dużo, to niezdrowo! Ja cię załatwię, Niebieski!

*

Zastaję drzwi szeroko otwarte. Kłódka na bramie zamknięta. Z drogi widać na stole niesprzątnięte naczynia. Borys szaleje przy płocie. Grabie leżą przed drzwiami. Cholerny pies! Skakał na te drzwi, aż się otworzyły! Czy ja tu na pewno chciałam mieszkać?

Kłaniam się nisko sąsiadce, starszej pani, co to u nas na wsi hoduje kury. Zatrzymuje mnie przed bramą i pyta, czy nie chcę jajek. Chcę, oczywiście! Mam chyba u niej chody, bo dotychczas nie miała dla mnie nic. Tylko dla stałych odbiorców, albo kury się słabo niosły. To znaczy, że już jestem stąd.

*

Mietek okazał się kotką. Mańka oczywiście od początku o tym wiedziała! Tylko kotki są trójkolorowe. Śpi u mnie na głowie. Ja śpię w piżamie, dresie, na to wszystko kołdra, śpiwór i koc. Ale niedługo będzie lato. Od wczoraj mam telefon. Jedyny we wsi! Agnieszka jest genialna! Nawet może być zimno! Od rana wiszę na słuchawce.

Dzwoniła moja mama, żeby powiedzieć, że cierpnie na samą myśl, jak mi jest zimno.

Dzwonił mój ojciec, żeby powiedzieć, że na pewno mam ziąb w domu, i on, gdybym tylko poprosiła go o radę, to proponowałby... ale teraz to nie ma o czym mówić.

Ponownie dzwoniła moja mama, żeby wycofać się z tego, że cierpnie na samą myśl. Na pewno mam ślicznie i się cieszę, ale cierpnie na myśl, jak Tosia do tej szkoły. To przecież tak daleko!

Dzwonił mój ojciec i zapytał, jak Tosia sobie radzi z chodzeniem do szkoły, bo to daleko, i że gdybym go poprosiła o radę, to doradzałby mi... no, ale teraz nie ma o czym mówić.

Dzwoniła mama, żeby wycofać się z tego cierpnięcia, jeśli chodzi o Tosię, bo świeże powietrze nam na pewno dobrze zrobi. Ale czy Tosia ma ciepłą kurtkę...

Dzwonił ojciec i zapytał, czy Tosia ma przynajmniej jakieś ciepłe buty, bo przecież jest zimno jak cholera, a ona na tę piechotę, i on, gdybym go zapytała o radę... itd.

Dzwonili ze szkoły, że Tosia nie przyszła do szkoły.

*

Tosia z córką Uli ustaliły, że jest za zimno i za daleko do szkoły. Dzień spędziły, chodząc po lesie, bo i ja, i Ula byłyśmy w domu. Teraz leży przed telewizorem z katarem. Agata Uli też ma temperaturę. Ula nic nie wie, że dziewczynki nie były w szkole. Mam jej powiedzieć czy nie?

Ula przybiega do mnie z aspiryną, bo nie mam.

– Nie wiem, czy powinnam ci mówić, ale nasze dziewczynki nie były w szkole – mówi od drzwi. – Zaproponowałam Agacie, że jeśli już absolutnie nie może iść do szkoły, to żeby raczej mówiła. Niech wtedy zostają w domu. Powiedz Tosi to samo, radzę ci. Wtedy będziemy miały nad nimi jakąś kontrolę.

Ula wyznaje zasadę: jeśli widzisz, że twoje dzieci i tak coś zrobią, to gódź się z tym.

Wieczorem Tosia mówi, że jedzie do koleżanki odpisać lekcje.

– Nigdzie nie pojedziesz, jesteś zaziębiona – mówię.

– A założysz się? – powiada moja niegrzeczna córka i wkłada buty.

– Zgadzam się – krzyczę, pomna na wskazówki Uli. Tosia patrzy na mnie spode łba.

– Ja nie pytam o zgodę, ja cię tylko informuję. Ciekawe, dlaczego córki Uli tak do niej nie mówią. Powinnam gdzieś pilnie wyjechać. Odpocząć. Borys dręczy Mietka. Zamknęłam obydwa zwierzaki w kuchni. Muszę mieć chwilę spokoju. Zapomniałam, że w zlewie odmraża się mięso. Kiedy poszłam zrobić herbatę, po mięsie nie było śladu. Borys się oblizywał. Mietek na pewno mu zrzuciła, bo przecież sam do zlewu nie wszedł. Masło wylizane – resztkę wrzucam do miski Borysowi. Majonez przewrócony, blat zapaćkany. Majonezowe ślady Mietka na obrusie. Do prania. Czy ja chciałam mieć kota? Dlaczego kot Uli nie chodzi po blacie w kuchni? Jak to się robi?

Jeśli natychmiast gdzieś nie wyjadę, to oszaleję.

*

Dzwoni sekretarz redakcji.

– Co słychać z twoim seksem?

It's not your bloody business. Siadam do komputera i w desperacji wystukuję: *Seks z hydraulikiem, psem i redaktorem naczelnym.* No, to początek już mam.

A potem piszę list do Niebieskiego. Skurczybyk, ale oczytany. To taka rzadkość u mężczyzn. Ja mu dam feministkę! Lepiej niech mnie nie obraża!

*

Podjęłam decyzję. Nie mogę tak bardzo nie dbać o siebie. Rzeczywiście chodzę w dżinsach, bo tak jest wygodniej. Ale spojrzałam w lustro! Pożal się, Boże! Nawet śladów po ospie mi nie potrzeba!

Po ciężkich przejściach ostatniego roku należy mi się jakiś wypoczynek. Dzwonię do wszystkich przyjaciółek, czy któraś by ze mną nie pojechała na wczasy odnowy biologicznej. Się odnowię i będę jak nowa. Błota, lampy, masaże itd. Znalazłam już ośrodek, bo któraś czytelniczka zapytała, czy ten w Kurdęczowie jest dobry. Zadzwoniłam do informacji, podali mi telefon. Wypytałam o wszystko! Basen jest, masaże są, terapia karczochami jest, kolagen też wstrzykują, ale sobie nie wstrzyknę – głupia nie jestem. Algi, gimnastyka itd.

Siedzę na telefonie od trzech godzin. Wszystkie nie mają czasu, bo mają mężów. Po trzech godzinach Justyna oddzwania, że jedzie. Nie ma męża. Robię debet na koncie, zawiadamiam Tosię, że wyjeżdżam na dwa tygodnie. Świat się nie zawali!

Tosia radośnie mówi:

– Zgadzam się.

– Nie pytam cię o zgodę – mówię bezczelnie – tylko zawiadamiam.

I idę do Uli. Ula pochwala. Mam się nie martwić, będą mieli pieczę nad Tosią.

Dzwonię do rodziców. Do każdego z osobna. Ojciec doradzałby mi, gdybym go zapytała o zdanie, żeby jednak poczekać z zostawianiem Tosi w domu ze dwa lata, zanim będzie pełnoletnia. Mój ojciec zupełnie sobie nie zdaje sprawy, co to są dwa lata dla kobiety przed czterdziestką. Moja cera ma czekać dwa lata, aż się rozpadnie na kawałki? Moje uda mają czekać, żeby cellulitis wlazł w nie bezpowrotnie? A karczochy? Za dwa lata w ogóle może nie być karczochów. Świat się tak szybko zmienia. A ja schudnę i będę śliczną kobiecą kobietą.

Dzwonię do Kurdęczowa i zamawiam pokój na dwie osoby. Dzwonię do mamy. Moja mama cierpnie na myśl, że Tosia zostanie sama. Cierpnę na myśl, że moja mama cierpnie. Więc muszę jechać.

*

Ośrodek Odnowy Biologicznej w Kurdęczowie miał wyjść naprzeciw naszym oczekiwaniom. Wyjechałyśmy w pochmurny marcowy poranek prosto z Centralnego.

Wpół do piątej, ciemno, narkomani przecierali czerwone oczka, pijacy zacierali ręce z zimna, kasy były otwarte, bezdomni spali na ławkach i pod ścianami. Odór wczorajszych snów i uzależnienia snuł się nad peronami i w poczekalniach – miał zapach skisłego moczu.

Pociąg relacji Warszawa–Dęblin wjechał. Też śmierdział. Był najwyraźniej zmęczony dniem wczorajszym. W przedziale razem z nami dwie blondyny tlenione na późne lata siedemdziesiąte. Blondyny całą drogę przepytywały się z prawa konstytucyjnego.

Justyna próbowała spać, ja byłam zbyt podniecona nowym ważnym etapem w moim życiu. Wrócę nie ta! Potem pójdę sobie zrobić balejaż, niech mnie! Żaden Niebieski nie będzie się ze mnie wyśmiewał!

Na dworcu w Kurdęczowie śnieg z błotem. Bierzemy taksówkę.

– Ośrodek Odnowy.

Taksówkarz uśmiecha się, jeszcze nie wiemy, że znacząco.

Willa. Basenu nie ma. Pokoje są, ale dwa kilometry dalej. Za to solarium jest tu. Ale masaż tam. Sala do ćwiczeń tu. Kosmetyczka tam. Te dwa kilometry w bok, ale za to pod górę. Wizyta u lekarki-dyrektorki, która nam doradzi, pomoże, zaopiekuje się nami, trwa i trwa. Wypisuje zabiegi niezbędne dla naszego zdrowia, oczywiście za określony ekwiwalent pieniężny – jest on znacznie większy niż w cennikach.

Okazuje się, że nasza cera wymaga oksygentów, witaminy H, ostrzykiwania karczochami – choć z tym ewentualnie możemy się wstrzymać. Ale nie radziłaby: ,,bo potem, po latach, panie żałują". Odmawiamy stanowczo kolagenu, ale zgadzamy się na algi. Tlenoterapia jest nam niezbędna. Naczynka w strasznym stanie. Maseczki oksygent lift zrobią z nas nowe kobiety. Ale wszystko to bez H i ostrzykiwania da efekt jedynie doraźny. A przecież nie o to nam chodzi. Masaże – niezbędne. Godzimy się na masaże.

Owszem, chciałyśmy sobie pomóc, ale nie wiedziałyśmy, że konieczna jest reanimacja. Że, jednym słowem, stare z nas pudła w rozsypce. Ale już po tygodniu, naprawdę, „nawet może się paniami zainteresować jakiś mężczyzna, bo to mało takich wypadków było, że klientki zaczynały życie od nowa po odnowie biologicznej u nas?"

Więc odwożą nas do willi dwa kilometry dalej w porywie uprzejmości. Zanim zdążymy zauważyć, że dom nie jest ogrzewany, okazuje się, że szybko, szybko, masażysta już czeka. Kosmetyczka blednie na nasz widok. Kompletnie nie ma miejsca na następne dwie osoby przed południem i tuż przed czterdziestką. My przed czterdziestką. Ona przed południem. Dogaduje się z masażystą. Jak masażysta od razu by wymasował jedną z nas, to ona wtedy drugą też od razu wykosmetyczy. Więc masażysta masuje. Najpierw mnie, potem Justynę. Kosmetyczka kładzie algi, najpierw Justynie, potem mnie.

Siermiężna zastępcza folia szeleści, w pokoju kosmetycznym jest czternaście stopni, algi powinny być zielone, u nas ciało prześwituje. Coś jest nie tak z tymi algami. Zimno, bo piec wysiadł, ale ktoś, gdzieś, coś, i wieczorem na pewno już będzie ciepło.

Pani na obrazku na ścianie cała w algach jest zielona i uśmiechnięta. Justyna szczęka zębami, ja jestem sinozielona.

Szanowna Pani,
dowiadywałam się o ośrodek odnowy, o który pani
pyta. Ma bardzo dobrą opinię i rzeczywiście oferuje sze-
reg usług...

Sinawa skóra naszych ud jędrnieje w oczach, obrazek wkurza. Po trzech godzinach odnowy jesteśmy wykończone. W algach i folii biegniemy do łazienki, myjemy się – najpierw ja, potem Justyna. Woda zimna. No, dobra, chłodnawa. Na masaż limfatyczny, który zrobi z nas szesnastki, musimy się przebiec do tamtego ośrodka. Szczękamy zębami.

Po kąpieli próbujemy włączyć grzałkę i zrobić herbatę, ale prądu nie ma. Zapalamy papierosa. Patrzę na Justynę. Nie po to wyjechałam po raz pierwszy od czterech lat, żeby się męczyć. Ostatecznie moja nadwaga nie jest rażąca. Moja skóra się nie rozpada. Nie mam żylaków. O cellulitisie wiem dużo z listów do redakcji, jak na razie. Ale co jej mam powiedzieć? Debet zrobiony, pieniądze pobrane. Z tarczą. Nigdy na tarczy. Wyśmieją mnie wszyscy – jeśli wrócę.

Justyna przygląda mi się. Jej czujny wzrok chyba widzi moje myśli, bo nagle mówi:

– Eeee, na plaster nam taka odnowa. Będziemy biegać po Kurdęczowie tam i z powrotem za pięćset złotych dziennie? W taką pogodę? Żylaków się nabawimy!

Nie chcę się nabawiać żylaków. Nie chcę wyglądać jak szesnastka. W pokoju jest coraz zimniej. Jesteśmy dorosłe. Pakujemy się i idziemy na rozmowę do dyrektorki. Pytamy, czemu na obrazku pani jest zielona, a my nie. Dlaczego masaż jest w nieogrzewanym pomieszczeniu. Dlaczego było napisane, że jest basen, a nie było informacji, że jest basen odkryty. Odpowiedzi są mętne.

Podejmujemy decyzję o natychmiastowym zaprzestaniu odnowy. Pani, gdy dowiaduje się, że pracuję w redakcji, nie bierze od nas ani grosza. Wzywamy taksówkę, pociąg odjeżdża dopiero za dwie godziny, w deszczu ze śniegiem idziemy do znakomitej kawiarni w parku i jemy najlepsze ciastka w tym kraju – trzy ja, trzy Justyna. Są grubsze kobiety niż ja. I po latach żałują, że nie zjadły tych ciastek.

Podjeżdża taksówka. Ta sama. Może tu jest jeden taksówkarz. I uśmiecha się rozczulająco:

– O, to panie też tak szybko wracają?

Żadnej odnowy nigdy w życiu! Co mi padło na mózg?

Prosto z dworca – czyli z centrum Europy – jadę do Justyny. Rano patrzymy na nasze spakowane torby. Liczymy koszty odnowy, a życie płynie. Troszkę nas to wkurza. Może zamiast przygotowywać się do życia, warto troszkę pożyć? Skoro już nam niewiele zostało, bo jesteśmy w rozsypce... Trzeba żyć, żyć, żyć – tym bardziej że tak pochopnie zrezygnowałyśmy z magnetoterapii, okładania algami, gimnastyki, masażu (choć ten był przyjemny), witaminy H i ostrzykiwania karczochami. Żyć... Ale jak, ale gdzie?

Bo z kim – to już wiadomo, że niestety bez odnowy – jesteśmy skazane tylko na siebie.

Wsiadamy do tramwaju. Zimno. Mokro. Ponuro. W tramwaju otwarte okno, którego nie można zamknąć – to samo, którego nie można otworzyć w lipcu. Wieje zimny wiatr i sypie śnieg z deszczem.

I nagle reklama za oknem! Rzucamy się do wyjścia, potrącając młodego człowieka, który rozmawia przez telefon komórkowy i informuje kogoś, że jest w tramwaju. Biuro podróży – oto jeszcze jedna szansa. Wiemy jedno: drożej niż w Kurdęczowie być nie może. Owszem – właśnie mają *last minute. Last chance.* Cypr, wylot jutro. Tańszy dwa razy niż odnowa. Bierzemy.

Wsiadam w kolejkę i jadę do domu przepakować torbę. Bo tam jest ciepło. Nie w domu, tylko na Cyprze. W domu czyściutko, w kominku napalone, w kuchni napalone papierosami. Tosia blednie na mój widok. Udaję, że straciłam powonienie. Uspokajam ją, że za chwilę wyjeżdżam. Przerzucam cały dom w poszukiwaniu paszportu. Nie mam kostiumu kąpielowego, nie mam krótkich spodni, nie wiem, gdzie są sandały.

Nie dzwonię ani do mamy, ani do taty. Proszę Tosię, żeby zadzwoniła jutro i powiadomiła ich o zmianie moich planów. Wsiadam w kolejkę i jadę do Justyny.

Ostatnia szansa

Lotnisko pachnie Givenchy. Justyna nie wie, czy lubi latać, bo nie latała. Ja wiem, że nie lubię latać, bo latałam. Biorę trzy tabletki uspokajające. Samolot wzlatuje. Justyna popiskuje z radości przy oknie. Zachwycona. Ja umieram. Za chwilę tabletki zaczynają działać. Już mnie nie obchodzi, czy spadnę. Lądujemy, trzymając się za rączki. Popatrują na nas trochę, w tym samolocie.

Jakie światło! Jakie niebo! Jakie kolory! Kapryfolium kwitnie! Flamingi jak z obrazka stoją przy słonym jeziorze! Ciepło, jak w lecie! Jakie słońce! Ale smrodkiem rodzimym zalatuje. Bo gdzie rezydent? O, jest rezydentka. Bo, proszę pani, nie w tym hotelu. Bo, proszę pani, tu jest gorąco. Bo ja zapłaciłem z widokiem na basen. Pamięta? No, to niech to bierze pod uwagę.

Nas nie musi brać pod uwagę, bo w ogóle nie wiemy, gdzie będziemy. Autobus nas dowozi na miejsce.

Wśród kaktusów, opuncji gotowych do kwitnięcia, palm, obok basenu jednego i drugiego, a w jednym woda gotowana, dwadzieścia siedem stopni, idziemy do naszego apartamentu. Kuchnia, łazienka, salon, sypialnia (łóżko podwójne), taras, widok, że zapiera nam dech – normalna moja doniczkowa juka sobie rośnie w glebie czerwonej i ma trzy metry, a moje maleńkie beniaminki fikuski mają po cztery metry, i jeszcze agawy, eukaliptus, i pohukiwania gardłowe lwów morskich z delfinarium – ale szczęśliwie zima na Cyprze, sezon się nie zaczął, delfinarium zamknięte, więc żadnych ludzi, żadnych oklasków. Wyjemy ze szczęścia.

Ci państwo z naszego samolotu idą obok. Są bardzo niezadowoleni, że delfinarium nieczynne.

*

Pukanie do drzwi. Trącam Justynkę. Ona krzyczy:
– *Come in!*
– Dlaczego tak krzyczy – pyta mężczyzna, który staje w drzwiach. Oraz pyta, czy nam przyjemnie. Ożenił się z Cypryjką i tu pracuje. W tenisa może ze mną zagrać po pracy. Jak byśmy czegoś potrzebowały, mówić.

Bierzemy się do rozpakowywania. Wyjmujemy zupki. Weźcie dużo zupek – ktoś nam wczoraj poradził. Nie wychodźcie wieczorem. Cypr jest niebezpieczny. Dużo Ruskich. A przede wszystkim zupki. Będzie taniej. Justyna kupiła czterdzieści. Ja dwadzieścia osiem, dla nas obu, na te dwa tygodnie.

Morze wpada nam przez otwarte drzwi. Mimo że się rozpadamy z powodu braku tlenoterapii, witaminy H, magnetoterapii i karczocha (nie wspominając o solarium), przez mimozowy gaj dobiegamy do morza. Jest nieprzytomnie przejrzyste, zielone, niebieskie, lazurowo-turkusowo-szafirowe z domieszką szmaragdu i obsydianu. Och, wiosna mimozami się zaczyna. Szalejemy ze szczęścia.

*

W hotelu jeść nam nie dadzą, bo nie wykupiłyśmy. To nasza szansa. Popołudnie spędzamy na piciu wina z Robertem, który ożeniony z Cypryjką (gdzie ty Kaja, tam ja Kajus) przeniósł się tu i teraz nam wyjaśnia. Wyjaśnia:

Sklepy są otwarte, jak Bóg da, bo jest przed sezonem

banki są otwarte do południa, jeśli są otwarte, bo jest przed sezonem

klimatyzację możemy sobie włączyć, bo tu jest zima i wieczorem temperatura spada do siedemnastu stopni

knajpy są otwarte niektóre, musimy się rozejrzeć, bo jest przed sezonem

mafii rosyjskiej dużo nie ma, bo jest przed sezonem

morze zimne, koło dwudziestu stopni, bo jest przed sezonem.

Radziłby nam pojechać na Pafos i w góry.

Nigdy w życiu nie podejrzewałam, że będę tak szczęśliwa. Jakie to cudowne, że ten od Joli poszedł do Joli, bo ja bym siedziała teraz w tym bloku na czwartym piętrze, w mieszkanku spłaconym, i do głowy by mi nie przyszło, że można cokolwiek innego robić! I martwiłabym się, że zrobił debet. I nigdy nie miałabym swojego własnego debetu! Kocham Jolę! Niech nie ma ospy! Chyba mi się na mózg rzuciło, żeby tak źle życzyć innej wspaniałej kobiecie. Choć już jest ukarana, bo on z nią jest.

*

Idziemy na spotkanie uczestników turnusu. Jakoś niezadowoleni. A dlaczego ja nie mam pokoju z widokiem na basen? A dlaczego tu tak zimno? Co ty mówisz, gorąco? A wycieczki? Bo my na wycieczkę. Ale co tu można zobaczyć? Bo w Tunezji... Bo na Rodos... Bo na Teneryfie... Wszyscy tu są przez pomyłkę. My nie.

Chcemy do Pafos, bo tam się narodziła Afrodyta! Z piany. I tylko z piany. Co prawda męscy szowiniści twierdzą, jakoby resztki męskości po kastracji Uranosa, któremu Kronos oberżnął wyżej wzmiankowaną, wpadły do morza i strzyknęły pianą, przyczyniając się do narodzin piękna, zmysłowości i radości. Ale to nieprawda. Z piany i samej piany.

Uwielbiam Cypr. Zawsze będę robiła debet w lutym i zostawiała Tosię ze zwierzątkami w domu!

*

Z elementów erotycznych: boli mnie kark. Justyna robi mi masaż. Autokar szepcze: „Były takie dwie na Kos, wiesz, jak na Lesbos". Wobec tego już zawsze trzymamy się za rączki. Plaża Afrodyty. Na planie pierwszym drzewo bez liści. Zima. Za to wiszą chusteczki, wstążki, papierki, prezerwatywy, majtki, rajstopy, kartki, bluzki, zdjęcia, szmatki, włosy. Jednym słowem, wota. Przewodniczka uprzejmie wyjaśnia, że tutejszym zwyczajem jest zostawianie przy świętym miejscu rzeczy osobistych. Wtedy masz pewność, że twoje życzenia zostaną spełnione. Zaskarbiasz sobie wdzięczność Siły Wyższej. Tutaj – Afrodyty.

Nie mamy podwiązek, rajstop, wstążeczek, prezerwatyw, zdjęć, szmatek. Justyna przyczepia odcinek biletu lotniczego, z imieniem, nazwiskiem i adresem, żeby się Afrodycie nie pomyliło. Ja bazgrzę na kartce swoje życzenie. Nie powiem jakie.

Teraz trzeba się rzucić na plażę i znaleźć kamień w kształcie serca, obmywany pianą z Pafos. Przyniesie on miłość, powodzenie, szczęście itd. na cały rok. Justyna wybiera dla znajomych – malutkie zgrabniutkie kamyczki. Ja klęczę przy plecaku i pakuję, ile wlezie. Mam parę kilogramów plaży przy sobie. Błogosławieństwo Afrodyty jest mi bardzo potrzebne. Nie to, żebym znowu chciała się zakochać, Boże broń, ale tak na wszelki wypadek...

W Pafos port. Woda taka, że tylko się topić. Wszystko widać. Ludzie uśmiechnięci, nie wiedzieć czemu. No więc knajpa przy morzu. No więc krewetki. Pojawia się On. Wysoki. Ciemny. Koło trzydziestki. Oczy złociste, nos garbaty, okulary na nosie. Fiołkowe. Nie oczy, okulary. Zagania nas do swojego stolika. A czy nam się Cypr podoba? Podoba. A może byśmy poszły z nim na kolację, bo tu pięknie. Wyraźnie coś nam chce pokazać. Obu nam. Uśmiechamy się promiennie. Nie jest z nami tak źle!

To, co? Zostaniemy? Nie, nie zostaniemy. A może jednak? – oczy mu błyszczą. No proszę, jest doprawdy młodszy od każdej z nas. Gdybyśmy tylko chciały... Jemy krewetki, skóra nam się wygładza od witaminy E. Erotyzmu. Wisi w powietrzu, a morze rytmicznie bije o brzeg. Smakowało nam? To cudownie. A okulary możemy zdjąć, bo chciałby zobaczyć oczy? Możemy. Niech on swoje też zdejmie. Ma optyczne, ale cóż to szkodzi. Zdejmie. A deser? Kawa cypryjska. Jak mamy na imię? Och, to cudownie. Bo gdybyśmy się zechciały z nim spotkać, to troje w łan bed byłoby łanderful. Izint it?

Zatkało mnie. Mnie zatyka, a Justyna mówi trzeźwo: ,,*We will think about it*". To on ma na imię Pambo i będzie czekał. Bez odnowy? Tak szybko działa Afrodyta?

W autokarze szepczą. Że my to nie mamy problemów, jak cała reszta jeszcze starszych od nas pań. Ci Cypryjczycy! To świadczenie usług seksualnych na każdym rogu! To ich przyzwyczajenie do starych, bogatych turystek z Zachodu! Miny nam rzedną. Więc to nie zauroczenie naszym wyjątkowym błyskiem w oku? Naszym wdziękiem? Dojrzałością? Pełnią kobiecości? Mam wrażenie, że z oddali słychać śmiech Afrodyty.

*

Dzisiaj fundujemy sobie tlenoterapię. Idziemy na plażę. Ja w kostiumie Justyny, cóż znaczy prawdziwa przyjaźń, jestem pewna, że żaden facet nie pożyczyłby mi swojego kostiumu kąpielowego, Justyna topless. Nie wiedzieć czemu się gapią. Gapie. Przysiada się pan.

– Jakże mi miło usłyszeć polski język – udaje, że nie patrzy na piersi Justyny, a piersi to ona ma!

O, nam również.

A może mu potowarzyszymy w jakichś wycieczkach.

Nie bardzo mu potowarzyszymy.

Ależ czy wobec tego może do nas zadzwonić, bo mieszka w tym samym hotelu. Ależ może.

Nobliwy pan, od numeru pokoju nazwany przez nas 07, udaje się na posiłek. Kąpiemy się w morzu. Jako jedyne, bo zima. Potem leżymy. Upał jak diabli.

– Heloł, jestem z Australii – mówi młodziutki Cypryjczyk – ja tylko tak wyglądam. Moja matka jest Cypryjka. Mój ojciec jest z Australii. Ale mógłbym wam postawić drinka, bez zobowiązań. Po prostu ot tak, żeby się poznać. Uśmiecha się. Uśmiechamy się. Nie mamy złudzeń. Wziął nas za kobiety Zachodu.

*

Wycieczka w góry Troodos. Autokar się od nas izoluje. Kobieta z przodu przekonuje nas, że nie ma żadnych uprzedzeń. Dostaje za to mandarynkę. Po mandarynce mówi, że jest tolerancyjna. Orientujemy się, że to pani od komentarza na temat wyspy Lesbos, ale już wychodzimy z autokaru. W górach dołącza do nas mężczyzna. Może też myśli, że jesteśmy turystkami z Zachodu? Nie, nie myśli. Jest sam, jeździ sobie, żeby wypocząć, nie lubi sezonów, ma na imię Hieronim. Hirek postanawia być z nami, mniejszością uciśnioną, jak się okazuje. Jest po stronie kochających inaczej. Afrodyta rży z radości. Postanawiamy nie szczędzić sobie czułości. Ja i Justyna, rzecz jasna.

Już we trójkę spędzamy wieczór w tawernie. Przy wejściu właściciel podskakuje i uderza w dzwonek. My też podskakujemy. Spowija nas peleryna czaru i piwa. Właściciel tawerny pyta o numer mojego pokoju – przyjdzie. Hieronim mówi:

– Nie zaczepiaj tej kobiety, jest ze mną.

Rozpływam się. Już dawno nikt nie stanął w mojej obronie! To jest prawdziwy mężczyzna, oczywiście w tych statystycznych ramach.

Ale oto przy stole bilardowym odbywa się wieczorny kongres lekarzy brytyjskich. Przysiadają się do nas. Potem zapraszają nas na piwo. Podchodzimy. Już nie robimy za samotne kobiety, bo jest z nami Hieronim. Lekarzy brytyjskich jest paru. Manchester, Walia, Irlandia, Anglia.

Anglik mówi do Justyny:

– Nie pij z Irlandczykiem, bo to gej. Pij ze mną. Ja nie gej.

Walijczyk opowiada o żonie, co go nie kocha. Wokół Szkota, przysięgłabym, snuje się mgła górska. Gramy w bilard, pijemy piwo i palimy. Miałyśmy tak dużo tlenoterapii, że możemy sobie pozwolić.

Po kolejnym piwie Justyna pyta Anglika, co zrobił z Cyprem. Anglik jest zdziwiony, a Justyna kontynuuje wesolutko:

– Przyczółków na Bliskim Wschodzie rękami tureckimi zrobionych wam się zachciało?

Anglik zaczyna się tłumaczyć. Chcąc rozładować sytuację, pytam Irlandczyka, czy należy do IRA? Chłopcy zamawiają następne piwa i tłumaczą się, powtarzając: ,,Nie mogę zapomnieć, że jestem Brytyjczykiem". A Cypr? A IRA? A Indie? A dlaczego tu jest ruch nie w tę stronę? Właśnie że w tę. Lewostronny, oni na to. Umawiamy się na jutro, żeby im wytłumaczyć niewłaściwość postępowania Korony. Żegnamy się czule i postanawiamy zacieśniać przyjaźń brytyjsko--polską. Angol prosi Justynę, żeby na pewno, ale to na pewno była tu jutro o tej samej porze. Mnie nie prosi.

Hieronim okazuje się niestatystycznym mężczyzną. Jest miły, odprowadza nas do naszego apartamentu, pyta, czy może nam czasem towarzyszyć, oraz mówi, że gra w tenisa.

No to do jutra.

*

Dzwonię wieczorem do domu. Tosia mówi, żebym jej nie kontrolowała, że wszystko w porządku. Do szkoły wozi i ją, i Agatę Krzyś, mąż Uli. Sprytnie to dziewczynki wymyśliły. Jedne wagary, i już mają podwodę.

*

Głupia Justyna nie poszła na spotkanie. Mówi, że nie przywiązuje wagi do słów wstawionego faceta, a tym bardziej Angola.

Muflon. Uwielbiam muflony. To jest takie zwierzę, które żyje tylko na Cyprze. W połowie jest kozą, a w połowie baranem. Czy coś takiego. Jest w każdym razie gatunkiem endemicznym. To znaczy rzadkim i tylko tutaj. Ale ma słodkie obyczaje godowe. Co roku muflony robią sobie zebranie, wyszukują gruby dąb złotolistny (gatunek endemiczny) i rozpoczynają demokratyczne wybory przywódcy stada. Polecam u nas na prezydenta.

Samice zajmują miejsca na trybunach (wokół dębu). Nie wtrącają się. Samce biorą rozpęd i ze wszystkich sił walą łbem w pień. Który zemdleje, ten odpada. Który wytrzyma najdłużej, zaprasza samice do uczty żołędziowej i zostaje mężem każdej z nich i ojcem wszystkich przyszłych mufloniątek. Reszta musi poczekać do następnego roku, żeby nabrać sił albo rozumu i nie walić tak mocno w przyszłości. Muflony są dla nas nieustającym źródłem radości.

Na ludzkich mieszkańców tej wyspy coś z tego obyczaju przeszło. Na męskich przedstawicieli. Cypryjczyk nie zraża się ani pierwszą, ani drugą odmową. Próbuje dalej i robi to z przyjemnością. Może dlatego Cypryjczycy są, w przeciwieństwie do naszych statystycznych mężczyzn, radośni, uprzejmi, mili, sympatyczni oraz nie zważają na wiek samicy? Polubiłyśmy Cypryjczyków bardzo.

Zenon z Kition – stoik, założyciel szkoły stoickiej, popełnił samobójstwo na Cyprze. Próbował żyć zgodnie z rozumem i opanować namiętności. Nie dał rady przy Afrodycie.

Postanawiamy żyć w niezgodzie z rozumem i nie opanowując namiętności. Ale niestety Justyna nie daje się przekonać, że pierwszy krok to sprawdzić, czy Angol jednak jest w tej knajpie.

*

Hirek jest kapitalny. Po prostu strasznie miły. Zupełnie jak nie mężczyzna. Nie powiem, żeby mi się podobał, to za dużo powiedziane. Gramy w tenisa. Wieczorem siedzimy w tawernie na brzegu morza i zajadamy meze. Przy barze Grecy ustawiają instrumenty, prawdziwy Zorba zaczyna śpiewać. Mam dreszcze w krzyżu. Ale ma głos!

Hieronim nachyla się do mnie i mówi:

– Nie rozumiesz, co śpiewa, ale czujesz, że kocha. Od tych słów Hirka też mnie dreszcz bierze. Czy ktoś mnie jeszcze będzie kochał? W życiu nie spotkałam mężczyzny, który by cokolwiek czuł. Na ogół oni czują, że myślą, a myślą, że czują. Nie dziwię się, że Shirley Valentine się odnalazła w tej Grecji.

No, niech mi Niebieski teraz podskoczy! Jestem opalona jak diabli. Skóra mi się wygładziła od tej wody. Tańczę z Hirkiem, obejmuje mnie – o Boże, jak dawno mnie nikt nie obejmował! I mówi, że dawno nie spotkał tak wspaniałej kobiety. Jak ja.

*

Siedzimy z Justyną do późna w noc nad morzem. Boże, jak jest pięknie! Gwiazdy wiszą nad nami takie przeczyste! I tu też na niebie jest Orion. Rozpoznaję go bezbłędnie, bo Ula mi pokazała, u nas na wsi, jak wracałyśmy od Wiesi, troszeczkę po drinku. Był śnieg oraz mróz, stałyśmy przy płocie, było nam zimno, a na dodatek druga w nocy. Ula palcem wskazywała na niebo i mówiła: ,,Widzisz Oriona?" Podnosiłam głowę – gwiazdy widziałam, a Oriona ani widu, ani słychu. Po półgodzinnej penetracji nieba strasznie zmarzłyśmy, więc Ula poszła cichusieńko do domu po resztkę wódki, żeby nas rozgrzać, dopóki tego Oriona nie zobaczę.

Wypiłyśmy wódkę, rzeczywiście pogoda od razu inna, cieplutko, ale Oriona nie ma. A Ula palcem strzela po niebie i coraz bardziej zniecierpliwiona mówi: „O, tu głowa, tu ręce, tu pasek, a tu miecz".

Patrzę i patrzę, czuję, jak mi kręgi szyjne wysiadają od tego patrzenia w górę, a tu ani paska, ani miecza.

– Do cholery! – Ula rzadko się denerwuje, i to był właśnie taki moment. – Patrz, ta jedna nad największą brzozą to głowa, te trzy w poprzek to pasek, a te do dołu to kutas!

Wtedy zobaczyłam Oriona w całej okazałości. No i teraz wisi tu nade mną, mimo że jestem tak daleko od domu! A hen na morzu światła kutrów. Łowią ośmiornice. Morze szumi cichusieńko, jesteśmy zupełnie same. I pachnie słodkawomdląco – mimo że jest zupełna noc. Życie jest piękne.

*

Rano dzwoni Hirek, czy nie zagrałabym w tenisa. To jest coraz bardziej przyjemny mężczyzna. Ale dzisiaj nie zagram. Idziemy z Justyną na daleką wycieczkę, żeby zobaczyć, jak wygląda prawdziwy Cypr. Co prawda mamy w pamięci ostrzeżenia przyjaciół, że na Cyprze jest niebezpiecznie, że mafia rosyjska, że południowcy itd., ale dawka adrenaliny dobrze nam zrobi. Będziemy uważać.

Po południu mamy już w nogach piętnaście kilometrów. Przeszłyśmy te kilometry brzegiem morza, omijając kolejne hotele, trafiłyśmy na zupełnie dzikie

plaże. Ani pół człowieka, nawet bezpiecznego. Opala-
łyśmy się na golasa – co za szczęście, że do solarium
w Kurdęczowie były dwa kilometry!

Teraz to już chcemy do domu. Jak najszybciej. Nie
na własnych nogach. Marzymy o spotkaniu z niebezpiecznym tubylcem. Najlepiej w samochodzie. Niestety nikogo. Po dwóch godzinach ktoś życzliwie wska-
zuje nam miejsce przy szosie, gdzie rzekomo jest przy-
stanek. Autobus, owszem, nadjeżdża, ale nie z tej strony. I nie jedzie tam, gdzie mieszkamy, tylko w kierunku przeciwnym. Machamy. Może będzie wiedział
cokolwiek o ruchu w tę stronę.

Autobus się zatrzymuje. Kierowca krzyczy:

– Wsiadajcie.

Chcemy mu wytłumaczyć, że my w drugą stronę,
ale w ogóle nie rozumie. Przecież nas chętnie zabierze!
Jedzie w przeciwną stronę, ale będzie wracał, okazuje
się. Więc wsiadamy. Rusza. W autobusie oprócz nas
jakiś stareńki Cypryjczyk i stareńka Cypryjka. Kierowca autobusu – jadąc – odwraca się do nas i częstuje
papierosami, drugą ręką włącza muzykę, poprawia obrazki, święty Krzysztof, patron podróży i kierowców,
obok Matki Boskiej z Dzieciątkiem, koło kierownicy,
odbiera telefon komórkowy, śmieje się, nogami wybi-
ja rytm, prowadzi głównie odwrócony w naszą stronę,
a my siedzimy za nim. Słabo mi.

Ale autobus jedzie dość płynnie. Kierowca po-
zdrawia znajomych klaksonem, właściwie klaksoni
bez przerwy. Bo jak wiemy od przewodniczki, wszyscy Cypryjczycy się znają. Na ślubie na przykład jest

parę tysięcy osób. Każdy jest znajomym lub krewnym, lub znajomym krewnego. W czasie jazdy okazuje się, że kierowca ma dzisiaj urodziny i zrobimy mu największy prezent, jeżeli się pozwolimy zaprosić na świeżą ośmiornicę u jego znajomych w porcie. Niestety – odmawiamy. Dotąd żałujemy.

Wieczorem do pokoju puka Hirek. Wynajął samochód i chciałby nas zabrać na prawdziwą kolację w pewne miejsce, gdzie nie ma turystów. Ale on już nie jest nieznajomy. Justyna mówi, żebym jechała sama, ona sobie poczyta. Chyba zwariowała! Nigdzie nie pojadę sama nawet z rdzennym Polakiem!

Półgodzinna jazda w ciemności, nad nami asterie.

– *Jamas* – wita nas przy drzwiach właściciel. Restauracja jest marna, jak bar mleczny głębokiego komunizmu. Ale za szkłem, w lodzie, poukładane zwierzęta morza: krewety z olbrzymimi wąsami, ośmiornice, ryby, kraby. Kelner zwraca się wyłącznie do Hirka. Cóż za przyjemne obyczaje.

Za chwilę na stół wjeżdżają pomidory, ogórki, awokado, karczochy (a jednak karczochy nas nie ominą!), sałata, oliwki, trzy olbrzymie półmiski z ośmiornicami i dwa, na których panoszy się ogromna ryba.

Hirek zachowuje się jak rdzenny Cypryjczyk. Nakłada nam na talerze, nie tylko nakłada, ale kroi i karmi. Serce karczocha, podzielone na trzy, wyborne. Przepyszny wieczór.

– Uważaj na ości, kochanie – mówi do mnie Hirek, a głos ma jak aksamit.

Justyna kopie mnie pod stołem. Kochanie?

*

Hirek wyjeżdża. Leci przez Londyn do Warszawy, bo dostał pilną wiadomość z firmy, że musi natychmiast być na miejscu. Przychodzi się pożegnać i pyta, czy nie poszłybyśmy z nim na krótki spacer nad morze. Justyna mówi, że właśnie idzie na basen i dziękuje bardzo. Ja mogę iść, a co mi tam. Przecież mnie nie zje. Hirek jest spokojny i przyjazny. Mówi, że nie chciałby się narzucać, ale czy możemy kontynuować znajomość. Pytam go, czy wie, ile mam lat i że jestem kobietą po przejściach. O latach wie, okazuje się. Pozwolili mu zajrzeć w mój paszport w recepcji.

Prosi o mój telefon. Błogosławię po raz kolejny Agnieszkę, że mi załatwiła telefon.

– Będę za tobą tęsknił – mówi.

Nie wiem, co się robi w takich wypadkach. Chyba robię się czerwona. Na miłość boską, jestem dorosłą kobietą, z prawie dorosłą córką!

– Nie bój się. Stałaś się dla mnie bardzo ważna.

– Słyszę ten aksamit w głosie i serce mi bije szybciej.

– Jesteś pierwszą kobietą, która mnie zainteresowała. Od kiedy odeszła ode mnie żona, naprawdę nie szukałem nowych znajomości.

Nie, takie rzeczy zdarzają się tylko w powieściach jednej Angielki, co ich napisała kilkaset. No, a potem normalnie mnie przytulił i pocałował. Chryste!

*

Wracam do pokoju jak na skrzydłach.

– Ty się zakochałaś – mówi Justyna, która nienawidzi basenu i chloru i kąpie się tylko w morzu. Chyba
zgłupiała.

Przecież nie zgłupiałam.

Wieczorem idziemy posłuchać buzuki. Ledwie
siadamy, Angol z kongresu lekarzy wsadza głowę
w drzwi i natychmiast podbiega do stolika. Wita się
z Justyną, jakby mnie tam nie było, siada i pyta, dlaczego nie przyszła. Justyna robi się czerwona, ha!

– Ja od paru dni chodzę tutaj wszędzie – mówi
Angol – i cię szukam. Jutro wyjeżdżam do Londynu.
Daj mi swój telefon. Proszę.

Kopię Justynę pod stołem. Co jej szkodzi? Justyna
bez wielkiego przekonania daje mu wizytówkę. A on
aż podskakuje! Afrodyto, jesteś wielka!

Wieczorem leżymy w łóżku. Pełnia jak diabli, nie
możemy spać. W pokoju jasno, przez okno słychać
szum morza. Pytam, dlaczego tak na odwal się do tego
Angola, jak on taki miły.

– Ja nie mam złudzeń – mówi Justyna.

Głupia, głupia i po trzykroć głupia! Przecież są normalni mężczyźni na świecie, nawet w naszym wieku.

*

Rano telefon z Polski. Dzwoni Hirek. Czuję się,
jakbym miała szesnaście lat! To niemożliwe! To możliwe. Już tęskni.

*

Coraz bardziej zbliżamy się do tego dnia, w którym trzeba będzie wsiąść w samolot. Justyna mi tłumaczy, że strach przed lataniem (Erica Jong) to strach przed seksem. O, jaka mądra. Jak Niebieski. Ale przecież ja się nie boję seksu. Nie używam go po prostu. Pierwszy orgazm miałam w wieku lat dwudziestu, potem przerwa na małżeństwo, i oto przed czterdziestką akurat mi są potrzebne wiadomości na ten temat. Ona nie jest moją prawdziwą przyjaciółką.

Na plażę przypływa kuter motorowy. ,,*Fly with us*" – widzę napis na burcie. Ja się boję seksu? Zaraz Justynie udowodnię, że się nie boję!

Włażę w wodę i macham do faceta.

– *How much?*

– *Ten pounds!*

O, nie, nie powstrzyma mnie nawet cena dwudziestu dolarów. Niech zobaczy. Złamię ten strach przed lataniem. Pakują mnie na kuter. Wkładają kapok. Zakładają pasy. Mam na nich wygodnie frunąć. Nie chcę!!! Za późno! Karabińczykami dopinają mnie do spadochronu. Błagam, nie!

Boże, przepraszam za wszystkie grzechy, niech Jola i Ten od Joli mają szczęśliwe i dobre życie, żadnej ospy i śladu próchnicy! Niech ktoś się zajmie Tosią! Przysięgam, jeśli przeżyję, nigdy, przenigdy nie podniosę na nią głosu! Hirek, jesteś moim ostatnim dobrym wspomnieniem!

...Już lecę. Nie zorientowałam się nawet, że jestem w powietrzu. To nie ja do góry, tylko morze i wszystko obok morza poleciało w dół. Łódeczka jest coraz mniejsza, i plaża, i Justyna. Matko moja, jak to z góry wygląda! Fantastycznie, niesamowicie, kapitalnie! Trzymam się kurczowo lin i drę się na całe gardło:

– Boże, lecę! Lecę! Lecę!

Jakby nie wiedział. Czy to znaczy, że nie boję się seksu?

*

Gardło mam zdarte. Zupki zostawiłyśmy Robertowi. Wszystkie czterdzieści Justyny i moich dwadzieścia osiem. Już siedzimy w samolocie, chwytam Justynę za rękę. Samolot to zupełnie co innego. Bo taki spadochron za łódką na tych stu czy iluś tam metrach to pestka!

Kamieni mam, okazuje się, siedemnaście kilo. Siedemnaście kilo cypryjskiej ziemi wywożę do swojego kraju.

Miejsce żab jest na łąkach

W domu posprzątane jak nigdy przedtem. Obrazki, co ich jeszcze nie zdążyłam powiesić – powieszone. Tosia radosna jak dziecko. Borys radosny jak pies. Wychodzi nawet Mietek i miauczy. Za Mietkiem biegnie mały srebrny kotek. Jezu, następny kot? Tosia bierze go na ręce.

– On miał być uśpiony, rozumiesz? Nie mogłam do tego dopuścić.

O, to już rozumiem, dlaczego taki porządek.

– To będzie mój kot. I będzie u mnie spał. I będzie miał u mnie kuwetę – mówi Tosia, i widzę, że po prostu mam dwa koty. – Dzwonił jakiś facet o dziwnym imieniu i pytał o ciebie. Chiromanta, czy coś takiego. Powiedziałam, że będziesz późnym wieczorem.

Cudownie, że mamy dwa kotki! To fantastyczny pomysł! Mietkowi będzie weselej!

Srebrny kotek już ma imię. Nazywa się Zaraz. Tosia go przyniosła dwa tygodnie temu. Nie miał imienia i nie miał, bo się zastanawiała, jak go nazwać. Wreszcie wychyliła głowę przez okno i krzyknęła do Agaty:

– Jak ma się nazywać mój kotek?

A Agata odkrzyknęła:

– Zaraz, mamo, rozmawiam z Tosią. Co mówiłaś?

Tosia uznała to za świetne imię. Właściwie kotek miał szczęście, że nie nazywa się inaczej.

O dziesiątej wieczorem telefon. Mamo moja najukochańsza! On się chce ze mną natychmiast zobaczyć – najlepiej jutro! Niestety nie może, bo dzwoni ze Szwajcarii. Przyjeżdża za dwa tygodnie we wtorek i czy już mogę sobie zarezerwować środę, żeby iść z nim na kolację! To jakiś cud!

Umawiam się na środę. Mam trochę czasu na schudnięcie. Może zmieszczę się w jedyną ładną spódnicę, co ją mam od trzech lat. Co ją kupiłam trzy lata temu i miała być jak znalazł, kiedy schudnę. Jeszcze jej nie nosiłam. Jednak trzeba było pojechać do Kurdęczowa i tam się pomęczyć! Ale znowu w Kurdęczowie nie spotkałabym Hirka.

Życie jest *wonderful*!

Ula krzyczy z okna, żebym do niej przyszła. Wchodzę, a tam, nie wierzę własnym oczom, skołtunione biedne bydlątko – wygląda jak szczur długowłosy, którego ktoś przeciągnął przez wyżymaczkę. Ma szary, sfilcowany kołtun na grzbiecie i jest kotem persem, po jednej pani, co umarła. Mańka w tym maczała ręce, ani chybi.

Mam rację.

Nawet nie mówię Uli o Hirku, bo to stworzenie wymaga natychmiastowej interwencji. Proponuję Uli, żeby wymoczyła tego kotka w fasoli.

Droga Redakcjo,
co się robi domowym sposobem ze sfilcowanymi swetrami?

Droga Pani,
proszę na noc namoczyć w wodzie fasolę, rano wło-
żyć do miski z wodą po fasoli sweter, po trzech godzinach
wypłukać w ciepłej wodzie, strzepnąć, rozłożyć itd.

Ula nie chce moczyć kota i suszyć go w stanie roz-
łożonym. A to jedyny sposób, który znam. Potem sobie przypominamy, że przecież ostatecznie Mańka jest
weterynarzem. Dzwonimy. Mańka rozkosznie mówi,
że persy są pokołtunione, jak ich się nie czesze, i żeby
jutro Ula przyjechała na golenie. Że przecież skąd ona
mogła wiedzieć, jak ten kot pers wygląda, skoro go
nawet nie widziała, tylko koleżance podała adres Uli,
bo wie, że Ula ma dobre serce.

Ula jest przerażona. Zawsze twierdziła, że tylko
idioci trzymają więcej niż jednego kota. Potem jednak
łaskawie rzuca na mnie okiem i stwierdza, że nigdy
w życiu tak dobrze nie wyglądałam.

– Mam nadzieję, że się nie zakochałaś – mówi
i śmieje się.

Ula uważa, że po doświadczeniach z tym od Joli,
którego niespecjalnie lubiła, powinnam odpocząć i zo-

baczyć, co się dzieje na świecie, zanim znów w coś popadnę.

Oczywiście, że się nie zakochałam! Ale nie mówię o Hirku. Mam nadzieję, że go wkrótce pozna.

Na noc wkładam dres, ale już nie nakrywam kołdry i śpiwora kocem. Idzie wiosna! Zresztą dwa koty grzeją bardziej niż jeden. Dwa razy bardziej. Mietek śpi na mojej głowie, Zaraz wtula się w Borysa, który śpi na łóżku. To strasznie niehigieniczne.

*

Znowu zdarzyło się dużo rzeczy. Wczoraj nowy kot Uli otrzymał niechcący imię. To jest dostojny kot, choć po goleniu też składał się głównie z kołtuna i strachu. Mańka wycięła prawie całe futro z trzech nóg (tylnych i jednej przedniej) i brzucha. Kot pod spodem był różowawy jak mięso z kaczki. Niemniej ogon, łeb i jedna przednia łapa prezentowały się dumnie. Jacek patrzył na razie z wyższością na pałętające się po jego terenie stworzenie podobne do częściowo ubranego w futro szczura. Po kąpieli okazało się, że reszta koto--szczuro-kaczki jest srebrzystoszara. Ula wyczesała głowę, nogę i ogon persa i wszyscy zaczęli się zastanawiać, jakie imię pasowałoby do tego stworzenia. Minęło parę dni, na różowym ciałku pojawiała się zapowiedź sierści, a bezimienny kot już nie reagował na wszystkich krótkim prych, prych.

Mleko przynosi Uli co drugi dzień pani od jajek. To jest sympatyczna pani, która ma ostatnią we wsi krowę. W dniu, kiedy kot pers dostał imię, pani Stasia wołała przed bramą na Ulę, że oto mleko, mleko! Ula z kotem na rękach wyszła do furtki w marcowym słońcu. Kot błyszczał, owłosiona łapa zwisała luźno z dłoni Uli, puszysty ogon lekko kiwał się w takt jej kroków, a bystre, czarne, okrągłe oczy patrzyły prosto na panią Stasię.

– Ojej, pani Ulu. Ojej, jaki piękny kotek – krzyknęła pani Stasia i podała przez sztachety butelkę po coli wypełnioną prawdziwym krowim mlekiem.

Ula odstawiła kota na ziemię i wyciągnęła rękę. Kot wyprężył różowy grzbiecik i trzema gołymi łapkami oraz jedną owłosioną zadreptał koło łydek Uli.

– Ojej, pani Ulu, ojej – jęknęła, zdjęta nagłym obrzydzeniem pani Stasia. W ten oto prosty sposób kot dostał imię na własność.

Ale to nie wszystko. Przybył następny kotek do Uli. Tego trzeciego położył na podołku Uli jej mąż i powiedział:

– Zobacz, on patrzy tak, jakby krzyczał: ratunku!

Ratunek jest cały bialutki jak kwiat wiśni. Od tego czasu nie słyszałam, żeby Ula twierdziła, że tylko idioci mają więcej niż dwa koty.

Dzwonił Hirek sześć razy, że tęskni.

*

Zaraz zrobił kupę koło kominka.

Wstaję rano i wchodzę do pokoju Tosi. O mało się nie przewracam. Jedna ściana pomalowana na niebiesko, druga na zielono. Od belek w suficie wiszą na żył-kach rybki. Nad łóżkiem Tosi plakat „Nirvany" z ża-łobnym czarnym napisem. W środku napisu brzydkie słowo.

Budzę Tosię i każę jej natychmiast sprzątnąć kupę Zaraza.

– Zaraz – mówi Tosia.

Zaraz wskakuje na łóżko i pakuje jej łapę do oka. Tosia się zrywa.

– Oddam kota, jeśli nie będziesz po nim sprzątać. Na temat pokoju porozmawiamy później. Musisz to zlikwidować.

No i doczekałam się. A mówiła mi Ula, żeby ni-gdy dwóch rzeczy naraz nie załatwiać!

– To jest mój pokój! – krzyczy Tosia. – Powiedzia-łaś, że mogę w nim mieć tak, jak chcę! A kupa jest na pewno Mietka! A Mietek jest twoją kotką! Nie dotrzy-mujesz słowa! Idę do szkoły i nie mogę być zdenerwo-wana! Wystarczająco mnie tam denerwują!

Sprzątam kupę. Mam to szczęście, że nie idę do szkoły. Jadę do redakcji po listy.

*

Czy to możliwe, żeby się zakochać w tym wieku w jakimś nieznajomym, lekko siwiejącym mężczyź-nie? Czy ta kobieta, która od niego odeszła, nie miała oczu? Dlaczego baby nie doceniają tego, co jest tuż--tuż? Niektóre oczywiście?

Jadę do pracy. Ciekawa jestem, czy Niebieski napisał. Po moim ostatnim liście nie powinien już więcej siąść do komputera.

Jest!

Droga Pani,

otóż to! Odsłoniła się pani! Bardzo jasno widzę, że boi się pani jakichkolwiek uczuć wobec mężczyzn, poza oczywiście uczuciem pewnej złości, którą są przesycone listy od pani. Ciekaw jestem, dlaczego zdradzonym kobietom odpowiada pani w tak właściwy, miły, sympatyczny sposób, a dla mężczyzn w tej samej sytuacji ma pani tylko wyuczone kazanie, zgoła w swej treści niemiłe... Polecam literaturę, która może lekko poprawić pani charakter, choć nie sądzę, żeby to było możliwe.

I tu, idiota, spis książek mi przesyła.

Co do pani kąśliwych uwag o czytaniu książek przez mężczyzn – chcę zapytać, czy wie pani, ile par bliźniaków wychowała Ania z Zielonego Wzgórza, zanim trafiła do Maryli? Ha!

A teraz gwoli drobnego sprostowania. Pisze pani o przeniesieniu, mając na myśli termin projekcja. Proszę zajrzeć do słownika terminów psychologicznych, zanim następnym razem zabierze się pani do pouczania ludzi inteligentnych, wykształconych i błyskotliwych.

PS Czy pani jest brunetką, czy blondynką?

A co cię to obchodzi, Niebieski? Widać, że jesteś niezrealizowany. Rozejrzyj się wokół, Niebieski! Jest piękna wiosna, może jeszcze nie jest tak rozkosznie ciepło jak na Cyprze, ale będzie, Niebieski, będzie! Na pewno ci się tym razem powiedzie w życiu, spotkasz kobietę, którą będziesz kochał, a nie zaniedbywał. Nie trać nadziei!

*

Podlewam ogródek. Po raz pierwszy w tym roku. Wyjrzało słońce i prawie jest ciepło. Lałam tę wodę na ulubione przyszłe marcinki, a tu nagle spod nich jak nie wyskoczy ropucha!

– Ojej, ropucha – krzyknęłam, nie zważając na sąsiadów siedzących nieopodal oraz Grześka, którego zawsze miałam za przyjaciela. Do tego momentu.

– Bujaj się, to nie ropucha, to lusterko! – odkrzyknął głos męski. I śmiech tubalny, oraz również damski poniósł się przez marcinki, trawę, zieleniejące brzozy.

A ja się zagotowałam w milczeniu z tą wodą w ręku. No bo jakże to tak? Tak po świńsku?

A potem usiedliśmy wszyscy w domu i dokładnie przeanalizowaliśmy sprawę. I okazało się, że obrazki z przeszłości nas, kobiety, ścigają. Bajeczki, jakimi byłyśmy karmione. Dziewczynka pochyla się nad żabką i całuje ją w pyszczysko? I wszystko jest lepiej? To wieczne marzenie i iluzja spowodowały wyraźny podział. I Ula, i ja twierdziłyśmy, że iluzją oczywiście nie jest młoda dziewczyna nachylająca się wdzięcznie nad ropuchem. Iluzją jest dalszy ciąg. Całowanie żaby ma nam, kobietom, uświadomić, że warto. Warto szukać żab (czy innych straszydeł), bo jeśli będziemy wytrwałe, w końcu z jakiejś żaby wyskoczy królewicz. Ula się ze mną zgodziła, choć statystycznie rzecz biorąc, różni się od kobiet normalnych, bo jest szczęśliwą mężatką.

Ale wspólnie z Ulą ustaliłyśmy: ona (ta iluzja) miała w nas od maleńkości zakodować, że jeśli będziemy cierpliwe, zostaniemy nagrodzone. Ma nam kobietom uprzytomnić, że nasze życie to szukanie królewicza i każde straszydło takim królewiczem właśnie się okaże. I nabierają nas na tę bajkę. Już wianuszek zdjęty, a my w zapamiętaniu pochylamy się z czcią nad żabą. To nie szkodzi, że na razie żaba (czyli ten przyszły królewicz) ma dla nas mało czasu. To nie szkodzi, że wkrótce (po ślubie) będzie miał dla nas znacznie mniej czasu.

Bajka o całowaniu tak nam weszła w krew, że całujemy, a żaba chwilowo zajęta jest nową zabawką – telefonem komórkowym, samochodem, motorem – więc jeszcze nie ma czasu się zamienić. Ale my przecież pod tą zielonkawą skórką widzimy barczyste ramiona, które uchronią nas przed złym światem. Wyłupiaste oczy zmieniają się w oczy zamglone od pożądania i obietnicy wielkiej miłości. A łapki, te wdzięczne, zdolne do skoków łapki, jeszcze się nam nie kojarzą z odskokiem ku innej pani, tylko ze sportami wodnymi. O seksie nie wspomnę. Czasem, znudzone oczekiwaniem, mniej wytrwałe istoty rodzaju żeńskiego odstawiają taką żabę. Jeśli są oczytane, to krzykną: ,,Król jest nagi!'', co oznacza ,,Przecież to żaba!'' Niestety, ta wiedza opuszcza nas przy następnym strumieniu, gdzie następne pokraczne stworzenie wabi nas swoją brzydotą. A przynajmniej mnie opuszcza. Owszem, tamto to na pewno była żaba, ale to? To na pewno będzie królewicz! Zaczynamy całą zabawę od początku.

Co sobie robimy, dowiadujemy się od razu albo po jakimś czasie. Co zaś robimy Bogu ducha winnej żabie? Zamykamy ją w mieszkanku, a ona lubi wolność podmokłych łąk. Tak długo wpatrujemy się w jej żabie oczka, aż biedna żaba nie ma wyjścia. Co stanie przed lustrem, to widzi w łapie berło królewskie, a korona się na oczy zsuwa. I żaba innym okiem na nas spoziera. A może jej się więcej od życia należy? Może królewna jakaś czeka? Jednym słowem, biednej żabie się przewraca w głowie i już nie bierze kredytu na nissana, ale widzi się w kabriolecie, koniecznie czerwonym. Już niestety nie z nami, ale z królową blond, może to być Miss Polonia czy jakaś inna, byleby utytułowana. Jak Jola. *Manager*. A my utytułowane jesteśmy nie generalnie, tylko jednostkowo.

Tak więc ukrzywdziłyśmy siebie, ukrzywdziłyśmy żabę, ukrzywdzamy pośrednio inne dziewczyny, które upewniłyśmy co do prawdziwości naszego królewicza. Na przykład Jolę. Jej się nie udało, bo nie dość całowała! – myśli w skrytości ducha następczyni nasza, też wyhodowana na bajce o żabce i królewiczu. Ja mu pokażę, co znaczy prawdziwe uczucie! Ona go nigdy nie rozumiała. Przy mnie zapomni... przy mnie się odnajdzie... ze mną... itd.

Krzyś i Grzesiek nie zgadzali się z nami. Ale przypomnę, że jeden ma czerwony samochód, a drugi nissana. Może się poczuli urażeni. Ten Grzesiek wstrętny, co chciał mnie zdenerwować, uświadomił mi tylko tyle, że należy z zadumą pochylić głowę nad dziewczynką całującą płaza, której wgrywa się jak na twardy dysk przyszły scenariusz jej poczynań. Ona niewinna. Nie rzucę się na te biedne stworzenia wodno-lądowe z nienawiścią. Mają takie samo prawo do życia jak ja. Ale nie dam sobie zamydlić oczu. Żaba jest żabą i żabą pozostanie. Owszem, kilka etapów rozwoju przechodzi, ale od kijanki do monarchii daleko. Odarte ze złudzeń, musimy spojrzeć prawdzie w oczy i porzucić całowanie zimnokrwistych. To znaczy ja, nie Ula, bo ona ma dobrego męża.

Cóż za ulga.

Miejsce żab jest na łąkach. A ja być może spotkałam mężczyznę bez zielonej zimnej skórki. Bez ukrytego królewicza w środku. A co z resztą świata i innymi dziewczynkami? I co jest lepsze właściwie, całowanie żaby czy całowanie królewicza? A jeśli królewicz, jak w przypadku mojego Eksia, okaże się ropuchem?

Takie to miłe popołudnie spędziliśmy u mnie w domu. I to niech Grzesiek się buja. Lusterko – też mi coś!

*

Z powodu wiosny chyba zatraciłam nieco poczucie rzeczywistości. W drodze powrotnej robię porządne zakupy. Pomarańczki – dwa kilo, mandarynki, jabłuszka, chleb pyszny baltonowski, masełeńko świeżuchne, serek brie i camembert, i mozzarella, i edamski, i dwa kilogramy ziemniaków, i sałata, i buraczki, i pekińska. Lodówka wymieciona do czysta, jeszcze zatrzymuję się w mięsnym, a na samym dworcu, w „Remie", kupuję cztery soki i dwa wina białe, bo Ula z Krzysiem przyjdą wieczorem. Z „Remy" już nie mogę wyjść. Oddaję przy kasie dwa słoiki ze szparagami, ale przypominam sobie, że nie mam cukru. Jest tego ze dwadzieścia sześć kilo. Ledwo doczołguję się do kolejki.

W przejściu do stacji na tym cholernym Dworcu Centralnym w centrum Europy stoi paru agresywnych facetów. Chyba są naćpani. Moje ręce już ciągną się za mną, czy ja zwariowałam, żeby tak daleko mieszkać? Do kolejki chyba nie dojdę, bo się boję. Grupka ludzi stoi przy kasach i próbuje interweniować. To znaczy krzyczą na kasjerkę.

Szlag mnie trafia. Wydaje mi się, że podwijam ręce, żeby się tak nie brudziły, zakupy ważą już pięćdziesiąt kilo, i ostro pytam, gdzie jest policja. Policja jest na posterunku przy peronach. Nikt się nie kwapi, więc padło na mnie. Torby wyrywają mi ręce ze stawów. Przystaję co chwilę i na pewno na ten pociąg nie zdążę.

Wreszcie docieram do posterunku. Grube metalowe drzwi zamknięte. Pukam. Nic. Walę. Nic. Walę z całej siły. Nic. Odstawiam torby – jedna nie wytrzymuje – ta z sokami. Szukam kluczy i tymi kluczami walę jeszcze mocniej. Drzwi się uchylają. Soki wytaczają się z pękniętej torby. Przez szparkę i wewnętrzną kratę widzę młodziutkiego policjanta. Przerażony. Grzecznie pytam, czy może by ze mną się udał na dworzec WKD, bo ktoś rozrabia. Patrzy na mnie bezradnie. Jemu się wydaje, że ja rozrabiam.

— Ale nas jest tu trzech. Ja nie mogę, a kolegów nie ma.

— A mogę wiedzieć, gdzie są? — warczę.

— No, na bójce.

Wkładam soki do siatki z camembertem, kapustą pekińską, serem żółtym, pomarańczami, serem edamskim i ziemniakami. Mój instynkt społeczny wyraźnie zanika. Mam wrażenie, że ręce i tak zostały przy posterunku.

Pociągu nie ma, ludzi nie ma, naćpanych nie ma. Czekam następną godzinę. Przy wsiadaniu do kolejki pęka druga siatka. Ktoś mi pomaga zebrać ziemniaki, kapustę, pomarańcze itd. Zdejmuję kurtkę i ładuję to wszystko do kurtki, wiążę rękawy, żeby się nie wysypało. Teraz wyglądam jak kobieta z głębokiej wsi w początkach komunizmu. Brakuje mi kartonowej brązowej walizeczki przewiązanej sznurkiem. I dużego kartonu z żywymi kurczątkami.

Żółtymi.

Ledwo wchodzę do domu — telefon. Rzucam w sionce siaty oraz kurtkę z zakupami. Ziemniaki i pomarańcze się wysypują.

Zgadnijcie, kto dzwoni? Nie mama i nie tata. On. Czy dalej oczy mam takie świetliste i usta takie spragnione. Że nie sądził, że go coś takiego jeszcze spotka w życiu. Liczy godziny do naszego spotkania w przyszłą środę.

Życie jest piękne.

Wracam do sionki.

Borys, Mietek i Zaraz dobrały się do mięska. Odkrawam im po kawałku wołowiny. Niech mają! Zrobię sobie herbatę i zapalę. Niech mam. Odpiszę na listy, a potem zajmę się szukaniem odpowiedzi na pytania, co z randką w wieku dojrzałym. Córki Uli mają pisma kobiece. I młodzieżowe. Przecież ja w ogóle nie wiem, co się teraz nosi oraz jak się człowiek powinien zachowywać. I odpiszę Niebieskiemu, niech ma. Potem. Teraz się wezmę do innych listów.

Stroskany ojciec

Droga Pani,
pisze do pani stroskany ojciec. Moja córka w zeszłym
roku nie zdała matury. Teraz wymyśliła jakieś kursy, a ja
nie mogę spać po nocach i odezwały mi się wrzody. Nie
zdaje sobie sprawy, że człowiek bez papieru nic nie zna-
czy. Ona musi pójść na studia – a nie wymyślać jakieś
inne rzeczy. Są przecież kursy szybkiego uczenia się –
próbowałem groźbą i prośbą zmusić ją do nauki. Nic
nie przynosi efektu.

Oho, następny uzależniony rodzic.

Drogi Panie,
pragnę pana uspokoić, córka może nauczyć się ucze-
nia – ale zmiana i chęć zmiany zależy od nas samych.
Pozwalam sobie uczciwie odpowiedzieć na list pana
i mam nadzieję, że nie weźmie mi pan tego za złe. Z listu
wynika, że jest pan bardzo emocjonalnie związany z cór-
ką, jej sukcesami i porażkami, troszczy się pan o nią,
martwi – co prawda trochę pan ochłonął po jej maturze,

ale coś nie daje panu spokoju i odbiera chęć do pracy, nie pozwala normalnie żyć i funkcjonować. Pozwoliłam sobie zacytować pańskie słowa, bo są one chyba najważniejsze w liście. Rozumiem pana jako matka przyszłej maturzystki...

O Boże! To za moment! Za chwilę. Czy Tosia już się uczy do matury? Zostały tylko trzy lata!

...że martwi się pan maturą córki.

Ale są pewne rzeczy, nad którymi warto się zastanowić, żeby ułatwić sobie życie i nie utrudniać córce życia... Córka jest osobą dorosłą. Może jeszcze nie tak, jak by pan chciał, może emocjonalnie jest jeszcze dzieckiem, ale skończyła osiemnaście lat, jeśliby chciała wyjść za mąż, nie musi mieć pana zgody, może głosować, iść do pracy, odejść z domu itd. Ja natomiast odnoszę wrażenie, że w pana myślach i trosce jest ona małą dziewczynką, niezdolną do podejmowania decyzji i ponoszenia konsekwencji. Niech jej pan pozwoli żyć! Niezdanie matury to nie koniec świata – ale końcem świata może być chęć przejmowania kontroli nad życiem i postępowaniem naszego dorosłego dziecka. Chęć przeżywania jej problemów i kierowania jej zachowaniem tak, jakby ciągle była pięcioletnią dziewczynką. Psychologia i życie uczą nas, że wpływ na nasze dzieci kończy się koło ich piętnastego roku życia. Potem można je tylko wspierać i kochać, pozwalając na błędy i na to, żeby za te błędy płaciły. Możemy również jeszcze dawać przykład, ale to inna historia. Pana napięcie związane z jej porażką jest wystarczająco duże. Niezdana matura nie jest końcem świata. Może to jedyny objaw buntu, na jaki sobie mogła pozwolić – choć-

by nieświadomie? Może to wynik trudnej matury, przy-
padku, powinięcia nogi, wreszcie – zaniedbania? Nie
pańskiego, tylko pańskiej córki. Nie szkodzi. Niech jej
pan pozwoli na błędy.

Odpisując na takie listy, zawsze mam wrażenie, że
miłość rodzicielska jest strasznie silna, czasem tak bar-
dzo chcemy chronić nasze dzieci od porażek, że przejmu-
jemy odpowiedzialność za ich życie. A wbrew pozorom –
to jest to, co odbiera im siłę i chęć do zmiany. Pan chce
jak najlepiej. Ale to najlepiej dla pana nie zawsze znaczy
najlepiej dla niej. Nie wiem, jakie ona ma plany, co za-
mierza robić, gdzie się uczyć – mam wrażenie, że pan za
wszelką cenę stara się przekazać jej swoją wiedzę i do-
świadczenie, a niestety to jest nieprzekazywalne. Pan
może jej pomóc – zmieniając siebie i swój stosunek do
niej. Ponieważ miłość nie przejawia się w kontroli. Pana
córka dojrzewa – pierwsza porażka już za nią. Co z tym
zrobi, to jej wybór. Może pan jej pomóc, informując np.
o kursach szybkiego uczenia się, ale nie naciskając, by
coś ze sobą zrobiła. Jak ciężkie brzemię musi ona nieść,
wiedząc, że jej najukochańszy rodzic nie może sobie
znaleźć miejsca na ziemi z powodu jej matury!

I na koniec częstuję go poetycką filozofią, bo życie jest piękne.

Dzieci wasze nie waszymi są dziećmi
Są synami i córkami tęsknoty żywota za własnym
                                        spełnieniem
Przez was lecz nie z was pochodzą
I chociaż są z wami nie do was należą
Możecie im dać swoją miłość lecz nie myśli wasze
Jako że własne myśli posiadają

Możecie gościć ich ciała lecz nie dusze ich
Gdyż ich dusze zamieszkują w domu należącym do
Jutra
Którego nawet w snach waszych odwiedzić nie
zdołacie
Możecie usiłować być podobnymi do nich
Lecz nie próbujcie nawet uczynić ich podobnymi
do was
Jako że życie się nie cofa ani na dzień wczorajszy nie
czeka
Jesteście łukami z których dzieci wasze
Niby żywe strzały wysyłane są w przyszłość
A Łucznik szuka znaku na ścieżce nieskończoności
I gnie was swą potęgą tak
Aby strzały Jego szybowały chyżo i daleko sięgały
Niech ugięcie wasze w rękach Łucznika
Szczęściem napełnione będzie
Gdyż tak jak kocha on strzałę która w przestrzeń
wzlata
Tak i łuk który jest stabilny miłością darzy.[*]

Serdecznie pana pozdrawiam w imieniu redakcji...

Ale jestem mądrą! Tak mówią w telewizji.
Przejrzę te pisma. Jeszcze tylko odpowiem Niebieskiemu.

Drogi Panie,
z przyjemnością przeczytam książkę, którą mi pan
polecił. Rzeczywiście po ostatnich zawirowaniach związanych z Jung i Jong doszłam do wniosku – i to powinno

---

[*] Kahlil Gibran, *Prorok.*

pana ucieszyć – że czas zlikwidować luki literacko-psychologiczne.

Odpowiadam na pytanie pierwsze: jestem blondynką. Niemłodą i nieszczupłą – pragnę uprzedzić pańskie dalsze śledztwo.

Ale mu nakłamałam! Po pierwsze, jestem brunetką, po drugie itd.

Odpowiadam na pytanie drugie: trzy pary bliźniąt. I tak nie wierzę, że czytał pan w młodości ,,Anię", bo żaden mężczyzna na świecie do tego by się nie posunął. Prawdę powiedziawszy, i tak podziwiam pańską znajomość literatury. Czy pracuje pan w księgarni?

Co do projekcji, ma pan rację, co niestety z przykrością przyznaję.

Z serdecznymi pozdrowieniami w imieniu wiosny i redakcji Judyta P.

Się zdziwi.

PS Jeśli mogę być panu pomocna w czymkolwiek, co dotyczy nie tylko pana intelektu, ale być może spraw codziennych, prowadzenia domu, sfilcowanych swetrów, proszę pisać, żaden list nie pozostaje bez odpowiedzi. Na marginesie – pewnie wkrótce, jeśli tylko nie przekroczył pan setki – zainteresuje się panem jakaś pocieszycielka. Powiem panu w sekrecie, kobiety uwielbiają tę rolę! Jeśli przekonująco odegra pan smutek porzucanego mężczyzny itd. Ale tak naprawdę to niech pan się nie poddaje. Każdego czeka w życiu coś wspaniałego, tylko trzeba w to wierzyć.

Itede, itepe i tym podobne bzdety.

W co ja się ubiorę w tę środę? Gdzie pójdę do fryzjera? Wyglądam świetnie, bo jestem opalona. Ale może rzuciłabym sobie balejaż na włosy? Koszty nie grają roli, żyje się tylko raz. Co jest teraz modne? Co się robi z facetem na randce, jak się jest poważnie po trzydziestce, a nawet bliżej czterdziestki, a tak naprawdę to prawie ma się czterdzieści lat, choć nawet się nie wygląda na twarzy, bo ma się nadwagę i wtedy nie widać zmarszczek?

Dlaczego nie mam takiej figury jak Jola?

Jeśli teraz sobie pomaluję oczy tuszem Tosi, to się przyzwyczaję do myśli, że jestem elegancką kobietą i że pojutrze nie mogę, nie mogę wsadzić sobie pięści do oczu. I pójdę na ten balejaż. Teraz sobie zrobię dosłownie pięć minut przerwy – mam cały plik gazet. Wszystko będę wiedziała!

Wiem wszystko

Jest pierwsza w nocy i wiem wszystko. Wiem, jakie kobiety mężczyźni lubią i co powinna robić kobieta, żeby zrobić niezatarte wrażenie na mężczyźnie. Teraz pozostaje mi się tylko odstrzelić.

Wiem gdzie, wiem jak, wiem z czym. Gdzie. Na pewno nie w kawiarni ani w knajpie. Tylko od razu seks. I to, Boże broń, w łóżku! Uprawiamy go wyłącznie w:

w wannie

w kuchni

w przedpokoju

w samochodzie

w kinie

w innych niespodziewanych miejscach.

Jeżeli już wybieramy stare, poczciwe łóżko, zabrać tam musimy:

gadżety seksualne (wibratory, intruzy, pachnące prezerwatywy itp.)

lód w kostkach
ulubione lody
czekoladę
miód
oliwki, orzeszki itp.

Nie ma wzmianki o moich ulubionych schabowych z kapustą, zrazach zawijanych, jedzeniu chińskim, bo spaghetti już wchodzi w rachubę.

Polecane ubrania na seksualną randkę to:
czerwone buty na wysokim obcasie – nie mam
szpilki – nie mam
bielizna koronkowa (może być swawolna, z dziureczkami, przezroczysta, kolory dowolne) – mam, ale nie włożę
koszulki nocne – do miasta?
piżamki
body
chusty zwiewne
bluzki z milionem guzików

A w wersji bardziej perwersyjnej:
komplet ubrań, żeby instruować mężczyznę, co ma najpierw zdjąć; to mam.

Nie ma żadnej wzmianki o martensach do kolan, bieliźnie bawełnianej połączonej z kaloszami, a szkoda, bo kalosze mam.

W celu zabawy erotycznej musimy zakupić z rzeczy płynnych:
oliwkę dziecięcą
olejki pachnące

kremy nawilżające (po konsultacji z lekarzem)
szampany
dobre wino.

Pożądane zachowania to:
niekonwencjonalność
element zaskoczenia
dobrze przygotowana spontaniczność
inwencja i instrukcja wynikająca z tych artykułów, książek, erotycznych filmów wideo, wzbogacających nasze życie seksualne.

Kolejność zachowań jest następująca:
przywitanie mężczyzny niekonwencjonalne
nakarmienie go, bo przez żołądek do serca
umycie go i się z elementami erotycznymi
wprowadzenie go w nastrój za pomocą szampana, masażu erotycznego (olejki), śmiechu i chichotu (patrz: radość seksu).

Czynności w łóżku obejmują:
wylanie na niego (lub siebie) miodu, wina, szampana, rozsmarowanie lodów
pokazanie mu gadżetów i poinstruowanie, jak z tego korzystać
uświadomienie mu roli łechtaczki w orgazmie kobiety
zabawę w nakładanie prezerwatyw pachnących lub z przedłużaczem
nasz striptiz.

W pewnej kobiecej gazecie z maja zeszłego roku polecają:

skłonienie go do pieszczenia się samemu

pieszczenie siebie samej (bo to go podnieca)

wydawanie spontanicznych okrzyków rozkoszy

jęczenie, wzdychanie, wykrzykiwanie itd.

Niepolecane jest:

używanie imion innych niż imię partnera

mówienie o zeszłomiesięcznych (czytaj: przyszłych eks)

porównywanie go z innymi, szczególnie jeśli chodzi o penisa.

Gra wstępna składa się z:

odpowiedniego manipulowania kostkami lodu w okolicach genitalnych

jedzenia sobie z buzi oliwek i innych (patrz: Kim Basinger w *9 i pół tygodnia*)

zlizywania szampana, wina, miodu, lodów z miejsc, gdzie uprzednio to na siebie wylaliśmy.

Męskie klejnoty należy:

pieścić delikatnie, mężczyźni też potrzebują czułości

ściskać mocno. Cytuję: ,,Zapomnij o delikatnych muśnięciach, użyj dokładnie tyle siły, ile potrzeba dla uścisku dłoni twojego szefa, lecz nie tak, jakbyś się żegnała po wizycie u dentysty".

Teraz się nie dziwię, dlaczego moje małżeństwo się skończyło. Dziwię się natomiast, że w ogóle do niego doszło.

W trakcie gry miłosnej:

nie zapominaj o nim; jest tak samo ważny

zapomnij o nim; skup się na sobie; pomyśli: o rany, ale jej dogodziłem. To będzie najlepszy seks w jego życiu.

Dalsze uwagi wiążą się z samym aktem seksualnym, który ma nam obojgu przynieść satysfakcję. Potem w nadziei, że mężczyźni czytają prasę dla kobiet, światłe instrukcje:

niech nie zasypia od razu po, niech powie, że było wspaniale, niech przytuli.

Ano, niech. I moja córka to czyta?

Jeśli chodzi o potrzeby mężczyzn i ideał kobiety, mam nareszcie absolutną jasność.

Kobieta ma być:

blondynką

brunetką

ruda

wszystko jedno

ma mieć duży biust, bo on jest seksowny

ma mieć mały biust, i wtedy nie kłania się Freud

ma mieć długie nogi

ma mieć nogi jakiekolwiek, to nie ma znaczenia.

Nie rozumiem. Czy to znaczy, że najlepiej, żebym miała cztery piersi – dwie duże i dwie małe i w razie potrzeby używała jednej pary?

W łóżku powinna kobieta:

przejawiać inicjatywę

podporządkowywać się pokornie mężczyźnie

przejawiać inicjatywę, wtedy kiedy on tego chce

być podporządkowana, wtedy kiedy on tego chce

krzyczeć

milczeć, bo to go rozprasza.

Wynika z tego jasno, że idealna kobieta powinna być:

doświadczona

po przejściach

najlepiej nastoletnia dziewica, bo taką jeszcze można czegoś nauczyć

Powinna:

dbać o siebie

niespecjalnie się pacykować i pindrzyć, bo zatraca naturalność

nie myć się bezpośrednio przed seksem, bo traci naturalne feromony

nie używać perfum, dezodorantów itd.

pachnieć wykwintnymi perfumami.

No więc na randkę to ja mogę owszem, kiedy już będę dziewiczą blondynką o czarnych włosach, szczupłą, ale obfitą w kształtach, z dużą piątką w biuście, ale taką, która zgrabnie mieści się w męskiej dłoni (jednej). Wtedy włożę na jedną krótką, a drugą długą nogę pończochy i czerwone buciki. Narzucę koszulkę przezroczystą i długą suknię z tysiącem guzików. Udam się w tym stroju do kuchni i przygotuję coś lekkiego do jedzenia, ale za to tłustego, bo on lubi zjeść.

Swoją chłopięcą fryzurę upnę w duży ogon koński, żeby potem włosy spłynęły falą na plecy. Popryskam się feromonem, ale żeby pachniał „Calvinem Kleinem". Umaluję wampowato oczy, żeby być naturalnym kociątkiem. Powitam go w drzwiach. Nie istnieją randki w knajpie. Naga, w samej sukni do ziemi. Zapiętej, ale za to rozpiętej.

Ciekawa jestem, co by Tosia na to powiedziała.

Potem delikwenta należy nakarmić. Po jedzeniu wrzucić go pod prysznic i tam od razu włączyć pranie. Jak już będzie czysty, to rzucić go na podłogę, żeby było niekonwencjonalnie, a dopiero potem wziąć do łóżka.

Ponieważ lubi kobiety z inicjatywą, powinno się wylać na niego miód i szampana, radośnie chichocząc, zlizać, a kostkami lodu obłożyć genitalia. Potem należy uścisnąć delikatnie penisa, ale mocno, tak jakbyś ściskała dłoń szefa. Potem popieścić siebie i mieć orgazm. Namówić go, żeby sobie zrobił to samo.

Oddychać ciężko, choć z figlarną lekkością.

Rano kobieta z prasy kobiecej wstaje i widzi w pościeli jego muskularną, delikatną w rysunku sylwetkę. Jest mocny, chociaż słaby. Milcząc, rzuca przez zęby: ,,Ale jesteś!''

Właśnie takich mężczyzn powinnam lubić.

Już wszystko poza mną! Chryste Panie! Na jakim ja świecie żyję!

Zostaje mi tylko fryzjer, balejaż i uważać na oczy! Idę do łazienki. Rozmazane. Nie rozumiem. Przecież na pewno, ale to na pewno nie dotknęłam ani razu twarzy. Nie mogę znaleźć mleczka do demakijażu. Jak Tosia zmywa oczy? Szukam w jej pokoju – nie ma. Jeśli natychmiast nie zlikwiduje tego bałaganu, będę musiała coś wymyślić.

Dobrze. Mydłem się sprały.

A w co ja się ubiorę?

Będę elegancką kobietą

Podjęłam heroiczną dezycję. Pożyczyłam od Uli forsę, zamówiłam fryzjera i wsiadłam do swojego ulubionego środka lokomocji. Będę wyglądać cudnie – balejaż i te rzeczy. Wzięłam tę Jong do poczytania, żeby nie być idiotką, jeśli Niebieski jeszcze napisze. Swoją drogą, dlaczego tacy mężczyźni są porzucani? Muszą mieć jakąś ukrytą wadę. W ogóle nie mogłam się skupić na czytaniu. Już jutro spotkam się z Hirkiem!

Parę stacji później siadła koło mnie babcia z wnukiem, uroczym malcem, który natychmiast przylgnął do szyby i krzyknął w najwyższym zachwycie:

– Babuniu, peron jedzie!

Odłożyłam książkę i spojrzałam przez okno. Miał rację. Peron odjeżdżał. Odjechała tablica z napisem „Opacz", z dopisaną literką P i strzałką w prawo. Odjeżdżały dwie brzozy na peronie i dwie panie z siatkami.

Malec był zachwycony i szorował buzią po szybie.

– Nie dotykaj tego, to brudne! – powiedziała dostojnie babcia. – Odsuń się. Tu są zarazki. Peron nie jedzie, to pociąg odjeżdża. To tylko złudzenie. Bo wiesz, jak my jedziemy, to tobie się wydaje...

– Babuniu! Zobacz, już tu listki pozawieszane! – chłopiec był inteligentny i się nie dawał. Buzię od szyby odsunął.

– Marcinku! – powiedziała z wyrzutem babcia. – Listków nikt nie wiesza. Jest wiosna. Listki po prostu urosły, listki rosną, rozwijają się z pączków, a na jesień spadają...

– Patrz, patrz! – radośnie cieszył się Marcinek. – Złoty domek, złoty domek.

Rzeczywiście za oknem stała w świeżej trawie sraczkowata budowla, ilekroć tędy jadę, to się dziwię, kto wymyślił taki kolor elewacji.

– Kochanie, nie złoty, tylko żółty – sprostowała babcia. – Może nawet lekko wpadający w jasny brąz, nie złoty. Złotego koloru właściwie nie ma. Chociaż...

– Babuniu! Zwierzątko! Zwierzątko! Prawdziwe dzikie zwierzątko! – Chłopiec miał rozjarzone oczy i brudne paluszki.

– Marcinku, przecież już mówiłam ci, że to kuropatwa. To nie zwierzę, to ptak, on żyje tuż przy domach, mimo że jest dziki...

Za brudną szybą kolejki biegło zwierzątko. Rzeczywiście kuropatwa.

– A kto dmucha na chmurki? Zobacz, jak szybko ruszają chmurki.

Ciekawość chłopca była niezaspokojona. Śledził wszystko na niebie i na ziemi. Chwilowo przeniósł się na niebo.

Babcia była cierpliwa i łagodna.

– Babcia ci już tyle razy mówiła, nie dotykaj tej szyby. Chmurkami rusza wiatr. Kiedy powstaje różnica ciśnień masy powietrza...

– Babuniu, babuniu – przerwał jej chłopiec i przyznałam mu w duchu rację – świeci się, świeci, kościołek świeci!

– Marcin – powiedziała z wyrzutem w głosie babcia. – To przecież Pałac Kultury, już dojeżdżamy, nie poznajesz? On nie świeci, to słońce odbija się w iglicy...

Patrzyłam przez brudną szybę i sama widziałam, że świeci. Nic nie odbija, żadna iglica. Przysięgłabym również, że to kościołek. Jak dorośli starzy ludzie podcinają skrzydła romantycznym malcom. A przecież z takiego Marcinka może wyrosnąć taki cudowny i wrażliwy Hirek. Można przypuścić, że Hirek nie miał toksycznej babci. Nie będę o tym myśleć. Nie dzisiaj, kiedy robię z siebie piękną kobietę.

U fryzjera spędziłam dwie i pół godziny. Balejaż, fryzura, podcięcie itd., to musi potrwać. Wydałam sto siedemdziesiąt złotych. W biegu do kolejki powrotnej kupiłam farbę, ciemny kasztan, i gazetę.

Peron odjechał, ja zasłoniłam się gazetą. Razem z peronem odjechał kiosk i duży napis ,,Lecznica Chirurgiczna", do której ktoś sprajem dopisał: ,,Tragiczna".

Patrzyłam przez taką samą brudnawą szybę, mimo że koło mnie nie było już Marcinka i babci. Było mnóstwo innych ludzi, którzy wracali z pracy i zajęci byli głównie czytaniem kolorowych gazet lub przysypianiem. Szczęśliwie nikt nie zwracał uwagi na to, co miałam na głowie. Iglica Kościołka Kultury i Nauki jarzyła się wszystkimi kolorami tęczy w zachodzącym słońcu. Kolejka, pędząc na zachód, minęła złoty domek. Na stacji P-Opacz spojrzałam w stronę strzałki. Wskazywała daszek przystanku. Na daszku stał telewizor. Na ekranie ktoś flamastrem napisał: „I co się tak gapisz? Jestem radio". Dzikie zwierzątka podrywały się do lotu, śmigały w brzozy, na których ktoś porozwieszał listki. Chmury już ktoś przedmuchał w inne miejsce – niebo było czyste.

Na głowie miałam fryzurę, balejaż, lakier. Wyglądałam koszmarnie. Kiedy wybiegłam z kolejki, marzyłam o jednym: żeby farba, którą kupiłam w ostatniej chwili, chwyciła. Żeby Beatka, która ma talent do cięcia i nożyczki z Niemiec, była w domu i mogła przyjechać. Żeby nikt mnie nie zobaczył. Z pochyloną głową biegłam do domu. Prawie wpadłam na sąsiadkę od jaj. Nie odkłoniła się. Nie poznała mnie.

Kiedy otwierałam bramę, wyjrzała Ula. Krzyknęła:

– O Boże, co się stało, już do ciebie idę!

Jest gorzej, niż myślałam. Wpadłam do domu i rzuciłam się do łazienki. Wsadziłam głowę pod kran. Już nigdy – przysięgam, obiecuję – nie zrobię z siebie eleganckiej kobiety! Po chwili wpada Ula. Ma pogodne usposobienie, więc próbuje mnie pocieszyć. Że farbę mi zaraz na balejaż położy, na pewno chwyci, a Beatkę trzeba ściągnąć za wszelką cenę, to może mi wyrówna włosy.

Dzwonię do Beaty. Przyjeżdża w ciągu godziny. Od drzwi mówi:

– Mówiłam ci, żebyś się sama nie cięła.

Boże, dlaczego mnie wystawiłeś na tak ciężką próbę! Farba chwyciła. Nie ma śladu po balejażu. Beata pracuje nad moimi włosami. Udało się! Wyglądam jak przed fryzjerem, tylko mam znacznie mniej włosów. I znacznie mniej pieniędzy.

Spódnica jest dobra! Hura! Schudłam trzy i pół kilograma i nawet tego nie zauważyłam. Dotychczas chudłam, jak mnie zdradzano. To znak, że zaczął się następny etap w moim życiu!

*

W kwestii porządków: Tosia wydrukowała sobie z komputera mój list do ojca dziewczyny, co nie zdała matury, wierszyk przybiła gwoździem do drzwi.

– Nie jestem twoją własnością – krzyknęła – innym to dobrze radzisz, a ode mnie jesteś uzależniona! Zostaw mnie w spokoju i mój pokój, i mój własny bałagan!

Mam inteligentną i trudną córkę.

Za pół godziny wyjeżdżam. Teraz Tosia mnie maluje. Wyglądam świetnie. Cudownie. Ekstra. Tylko pamiętać – nie łączyć w jedno oka i ręki, oko i ręka nie!

Mijam panią od jajek w biegu do stacji. Nie poznaje mnie! Hura!

*

Jola, dawniej przez nieuwagę zwana złotozębną, jest najcudowniejszą kobietą pod słońcem! Niech nigdy nie ma ospy, opryszczki, ubytków oraz nadwagi. Gdyby nie ona, nigdy bym przecież nie umówiła się na randkę z najcudowniejszym facetem pod słońcem! Nie wiedziałabym, jak się czuje kobieta, której mężczyzna nie dość że podaje płaszcz i zaprasza na cudowną kolację, to jeszcze czeka na nią na peronie z bukietem kwiatów!

W ogóle nie wiedziałam, że takie kwiaty mogę dostać. Nie wiedziałabym, gdyby nie Jola! Niech im się wiedzie jak najlepiej. Jak mogłam być taką idiotką, żeby mieć do niej pretensje!

Jak to człowiek nigdy nie wie, kiedy coś złego obraca się w samo dobre. A przecież Ula mi to już dawno powiedziała!

Czekał z bukietem róż. Z pięć odmian tych róż w ośmiu kolorach. W życiu nie widziałam takiego bukietu! Objął mnie przy tych wszystkich narkomanach i podróżnych, pod tablicą „Uwaga, wysokie napięcie". Możecie mi wierzyć – poczułam to! Świat mi się zakręcił, słowo daję.

A potem kolacja. Przy szampanie trzymał mnie za rękę i opowiadał o sobie. Jak żona powiedziała, że chce żyć z innym, to odszedł. Wszystko jej zostawił –

to znaczy mieszkanie i samochód, bo kobiecie jest zawsze trudniej zaczynać wszystko od nowa. Do dziś są w przyjaźni. Dzieci nie mieli, więc nie walczył, tylko uszanował jej decyzję. Bo jak człowiek prawdziwie kocha, to chce, żeby tej osobie było dobrze! On jest zupełnie inny niż wszyscy faceci na świecie!

A potem – wiem, że trudno w to uwierzyć, sama w to nie wierzę – powiedział, że czekał na taką kobietę jak ja całe życie i poczeka jeszcze, i nie mam się od razu decydować, ale dać mu szansę, skoro nam ją los zesłał. Bo wygląda na to, że jestem kobietą jego życia. Dobrze, że mnie nie widział po fryzjerze. Wtedy nie wyglądałam w ogóle.

Następnie całowaliśmy się na ulicy. A następnie jego kierowca odwiózł mnie do domu. O dwunastej telefon: czy dojechałam, czy będę o nim myślała itd. Wyjeżdża na dwa tygodnie do Londynu. Będzie emailował. I dzwonił.

Zakochałam się.

Jasnowidz

Mietek zginęła. Widziałam ją ostatni raz trzy dni temu. Szła w stronę pól z podniesionym ogonem. Nie wiem, co się stało. Nikt nie widział trzykolorowej kotki. Ula mnie pociesza i mówi, że koty wracają. Dlaczego mój nie chce wrócić?

Karmię Zaraza mięsem, żeby sobie nie poszedł. Ale to jest mały, głupi kotek i poluje na szerszenie, które się już pojawiły. A przecież taki szerszeń może małego kotka zabić!

Niebieski napisał do mnie bardzo miły list. Też odpisałam mu bardzo miło. A niech ma. Choć złośliwie mi przyłożył: gdybym nie była taka stara, jak piszę, wnioskowałby z nagłej zmiany tonu moich listów, że się zakochałam. Jasnowidz, czy co?

Odpowiedziałam, żeby nie pisał więcej w sprawach prywatnych, bo jak mnie naczelny dorwie, to mogę mieć nieprzyjemności. List posłałam poza redakcją, przecież nie mogą mi płacić za wymianę uprzejmości z jakimś facetem. I jeszcze mu poradziłam, żeby zgłosił się do ośrodka terapeutycznego, to tam sobie spokojnie przepracuje problem z odrzuceniem. Bo ja jego terapeutką być nie mogę. Trochę mi żal, że już nie będziemy do siebie pisać.

Hirek dzwoni codziennie.

*

Ale dzisiaj dzień – zupełnie jakby to był środek lata! Upał zrobił się niemożliwy, a ja muszę jechać po listy.

Uwielbiam WKD. Po prostu uczy mnie życia jak nic na świecie. Ludzie wchodzą i wychodzą. Dzisiaj na ogół wchodzili. Robiło się coraz tłoczniej. Poza tym nudno.

I wtedy weszła zgrabna dziewczyna ze zgrabnym malcem, pałętającym się w okolicach jej kolan. Malec nie chciał usiąść, tylko wodząc nosem po szybie, zadawał pytania. A dlaczego trawa? A dlaczego jedzie? A gdzie i po co? W świat? A co to jest świat? A dlaczego prąd? A co to jest?

Nadstawiłam uszu, ponieważ do dzisiaj nie wierzę w prąd. Ale zanim jego matka, ta zgrabna dziewczyna, zdążyła mi wyjaśnić istotę prądu oraz powstania wszechświata, malec nagle zaproponował:

– Daj loda.

Dziewczyna schyliła się do torby i wyjęła jogurt.

– Mam jogurt – powiedziała.

– Chcę loda – powtórzył dobitniej chłopiec.

– Mam dla ciebie pyszny jogurt – oświadczyła matka.

– Loda! – krzyknął chłopiec.

Nadzieja na podróż bardziej interesującą rosła z minuty na minutę. Głowy dwóch starszych pań schyliły się do siebie. Dzieci, które się kłóciły o miejsce przy oknie, zamilkły.

– Może serek? – zapytała matka, a ton jej głosu nie podniósł się ani trochę, ku naszemu rozczarowaniu.

Kolejka nadstawiła uszu.

– Lo-da!

– Lody dostaniesz w Warszawie. Zobacz, ten serek ma taką łyżeczkę...

Chłopak siedzący na miejscu dla inwalidów otworzył oczy, ani chybi, ciekaw łyżeczki do serka.

– Serek nie! Loda!

Staraliśmy się wszyscy udawać, że nic się nie dzieje. Zapanowała jednak cisza i śledziliśmy wydarzenia w napięciu. Da w dupę czy nie da? Wszechświat poszedł w niepamięć razem z istotą prądu.

– Ja chcę loda! – zawył malec, a napięcie sięgnęło zenitu.

– Słuchaj – powiedziała zgrabna – posłuchaj, kochanie. Mam jogurt i serek. Nie mogę ci dać czegoś, czego nie mam. Mogę ci dać tylko to, co mam.

Chłopiec otworzył i zamknął buzię. Patrzyliśmy w milczeniu. A potem zaordynował:

– Na kolanka.

Powiało rozczarowaniem. Potem wszechświatem. Potem młody człowiek z miejsca dla inwalidów ustąpił miejsca pani, która koło niego stała.

– Pani siądzie – powiedział i poszedł do tyłu.

Dzieci ustaliły, że będą się zamieniać po każdej stacji. Panie przymknęły oczy.

A mnie olśniło! Zgrabna wypowiedziała w sposób naturalny głęboką prawdę, o której zapomniałam! Z pustego to i Salomon nie naleje. Możesz dostać tylko to, co on ma! Jak miał, to ma. Jak ma, to daje. A jeśli nigdy nie miał? Czy mój Eksio miał to, czego ja od niego chciałam? Tak niewiele przecież – żeby mnie kochał do końca życia. A tak w ogóle? Jeśli dana kobieta chce nagle czułości? Ni stąd, ni zowąd? Troskliwości? A nie daj Boże, bliskości i intymności? A skąd taki ktoś może wiedzieć, co to znaczy? Tak nagle? Bez uprzedzenia? Bez wypowiedzenia tamtej umowy, w której nic nie było o takich fanaberiach? Wszystko zrozumiałam.

Przecież Krzyś – no, nie wiem, czy tu nie przesadzę – nawet rozmawia ze swoją żoną! I ja też chciałam, żeby Eksio był dla mnie miły. A skąd miał wiedzieć, co to znaczy być miłym? Miły był – bo przecież głosu nie podniósł, a i z godzinę w domu posiedział, zanim do Joli poszedł. Zrozumiałam, dlaczego Eksio bez przerwy mówił: „Czego ty ode mnie chcesz?" On się czuł osaczony. Miał rację, że zwiał. Przecież chciałam, żeby pamiętał o imieninach, nie zapominał o grze wstępnej i nawet rozmawiał ze mną! I to w ogóle nie była jego wina. Tylko moja.

Jak się człowiek zada z neandertalczykiem, to dlaczego on ma literaturę obcą obrabiać z tobą wieczorami? A przecież mojemu Eksiowi nie porobiło się tak nagle! Zawsze się oglądał za kobietami? Tylko wcześniej nie przyjmowałam tego do wiadomości. Ale numer! Co ja miałam za pomysł, żeby mi facet dał to, czego nie ma? Całe szczęście, na tym świecie istnieją mężczyźni, którzy mają co dawać. Na przykład Hirek.

Będę teraz zwracała uwagę na to przed, a nie po.

Więc czułości mogę oczekiwać od mężczyzny czułego. Seksu od takiego, który seks z nami lubi. Rozmowy od rozmownego. Przyjaźni od przyjaznego, a nie od takiego, co to jeszcze stosunków z mamusią nie uregulował, mimo że czterdziestka na karku. Szacunku od takiego, co kobiety szanuje. Pieniędzy od bogatego, i tak dalej...

Taką to prawdę usłyszałam pewnego dnia w kolejce WKD.

I może – nie wiem, czy tu za daleko się nie posunę – ale może faceci też w ten sposób myślą? Może trzeba mieć dużo, bo zgłosi się taki, co ma wymagania sięgające poza codzienny obiad. Przecież cuda się zdarzają na każdym kroku.

Czego może chcieć taki Hirek? Dobra. Od jutra nie palę i zacznę dbać o siebie.

*

Palę. Ale palę tylko dlatego, że strasznie mnie boli ząb. Pewnie dlatego, że bez przerwy myślałam o zębach Joli. Ale już nie będę! Ząb, ząb, ząb. Przychodzi Ula i daje mi jakąś tableteczkę, co ma pomóc. Ząb rośnie. Biorę dwie. Ząb dalej rośnie i jest wielki jak drzewo. Panie Boże, obiecuję, że już nigdy nie zaniedbam chodzenia do dentysty, będę co trzy miesiące chodziła, ale żeby mnie przestało boleć! Ząb wielki jak dom. Po południu Ula dzwoni do swojego dentysty. Uprasza go, żeby mnie przyjął. Jadę do Warszawy. W kolejce w ogóle nie ma ludzi, tylko siedzą wielkie, bolące zęby. Za oknami zęby. Na zębach małe, zielone, bolące ząbki. Nie wytrzymam. Wytrzymam. Muszę wytrzymać.

Dentysta jest uroczy, uśmiecha się – nawet oczy mu się uśmiechają. Uśmiecha się od ucha do ucha. Delikatny, nie jak facet. Sadza mnie i uśmiecha się. Otwieram twarz. Uśmiecha się. Robi zastrzyk. Uśmiecha się. Nie boli! Co za ulga. Antybiotyk, powtórna wizyta za dwa dni. Cudowny uśmiechnięty facet!

Potem wypisuje rachunek. Nic dziwnego, że jest taki radosny. Już nigdy do niego nie przyjdę. Przestanę palić od poniedziałku.

*

Mietek nie wróciła. Jestem zupełnie sama. Nie ma już miękkich nóżek, które udeptywały miękkie rzeczy. Już Borys nie jest udeptywany delikatnie, tak żeby mógł udawać, że nie widzi i nie czuje. Ja też już nie jestem udeptywana. Miękkie brzuchy są bardzo pożyteczne – z punktu widzenia kota oczywiście. Zaraz nie udeptuje z taką lubością i śpi z Tosią. I na dodatek przed chwilą rozpętała się straszna burza, a ja jestem sama! I wyłączyli prąd! Borys schował się do łazienki! Nie mam się gdzie schować! Tosia śpi, a ja się boję. Jestem strasznie nieszczęśliwa. Pioruny walą chyba w mój dom, wszystko się trzęsie. Wszyscy mają kogoś koło siebie, tylko ja jestem sama.

I kiedy tak się unieszczęśliwiałam, w drzwi od tarasu zapukała Ula. Zmoknięta, ze świeczką. O Boże, jak to dobrze, że nie jestem sama! Zapaliłyśmy świeczkę ostatnią zapałką i wsłuchane w deszcz, który chciał przebić blaszany dach, wolno sączyłyśmy wino. Pioruny waliły tuż za olbrzymim dębem. Dopiero kiedy z łazienki dobiegło piszczenie Borysa, postanowiłam wziąć wszystkie zwierzaki do nas. Weszłam cichutko do pokoju Tosi i zawołałam: ,,Kici, kici".

– Zaraz jest u ciebie, u mnie go nie ma – powiedziała trochę przez sen Tosia.

Otworzyłam drzwi na taras. Niebo walczyło z ziemią, woda lała się nieprzerwanym strumieniem, a ja wołałam w noc:

– Zaraz, Zaraz!

Boże, niech mi nie ginie następny koteczek!

Ula stanęła obok mnie.

– Jak przestanie padać, to go poszukamy.

Burza szalała do pierwszej w nocy. Świeczka dopaliła się i zgasła. Noc była w dalszym ciągu parna i gorąca. Wydawało mi się, że przez stłumione, oddalające się grzmoty słyszę smutne kocie zawodzenie. Noc wyglądała groźnie. Krople spadały z drzew głucho, w oddali niebo mruczało.

– Idę szukać Zaraza.

– Idę z tobą, tylko pobiegnę na chwilę do domu.

Wyszłyśmy w mgłę, która zaczynała się podnosić od ziemi. Ula skręciła w stronę swojego ciemnego domu. Olbrzymie białe płachty snuły się na wysokości naszych kolan. Każda spadająca kropla napawała mnie przerażeniem. Chmury zniknęły. Zajaśniał księżyc, płaty mgły w tym księżycowym świetle mroziły krew w żyłach. Pod starym dębem zatrzymałam się. Biedny zmoczony Zaraz przytulony do pnia płakał rozpaczliwie. Usłyszałam za sobą szelest. Zdrętwiałam, a potem wolno się odwróciłam. Za mną stała Ula. W ręku trzymała niezapaloną świeczkę.

– Nie mam zapałek. Ale i tak nam ze sobą raźniej – powiedziała.

Aż mi się nogi ugięły. Bo może właśnie o to w życiu chodzi. Żeby ktoś przy tobie był – nawet kiedy szukasz w nocy małego zgubionego kotka. Nawet jak świeczka się nie pali.

Wróciłam do domu. Zaraz wbił mi pazurki w szyję i tak siedział przytulony. W kuchni za kredensem szura myszka, którą Mietek kiedyś przyniosła do domu i wpuściła pod kredens. Tosia ją dokarmia. Mietka nie ma, już nie wróci. Ale po raz pierwszy zdałam sobie sprawę, że jednak mam kogoś, kto z niezapaloną świeczką idzie ze mną w noc. Jak mogłam pomyśleć, że jestem sama?

*

Tosia się zakochała! O Boże, co to będzie – martwieję na samą myśl o tym.

Przyjechała mama.

Tosia powiedziała, że nie będzie z nami siedziała, bo idzie na randkę. Bo się zakochała.

Mama zmartwiała i powiedziała:

– O Boże.

Nie rozumiem. Zaczyna się najpiękniejszy okres w jej życiu, a moja mama jest tylko przerażona. Chcę ją jakoś pocieszyć, więc mówię:

– Nie przejmuj się, przecież od pierwszego zakochania do seksu jest kawał drogi.

– Dlaczego ty mówisz o seksie – zbladła moja mama.

O, tak to nie będzie. Przecież jestem dorosła.

– Słuchaj – mówię odważnie – ja wiem, że ty uważasz, że seks jest nie dla ludzi...

– Co ty za bzdury opowiadasz! Kto ci to powiedział!

Przecież wiem, kto mnie wychowywał!

– Ja tylko chcę powiedzieć, że seks nie jest dla dzieci!

To sama wiem. Ale od randki szesnastolatki do seksu może nie jest tak blisko. Choć z drugiej strony, jeśli przyjrzeć się pismom dla nieletnich...

– Uważam – poprawia się moja mama – że seks jest dla dorosłych.

To już lepiej.

– Niektórych dorosłych – dodaje po chwili.

Ciekawe których?

*

A jednak! A jednak Niebieski napisał.

Droga Redakcjo, a właściwie Pani Judyto,
pomogliście mi w tak wielu sprawach, że nie waham się napisać raz jeszcze. Ponieważ sam prowadzę gospodarstwo, z wieloma sprawami, choć to może wydać się śmieszne, nie radzę sobie. Nie wiem, jak wywabić plamy z rdzy – moja kurtka po włożeniu do wody (nie ukrywam, że przeleżała w miednicy dwa dni) ma plamy wokół metalowych zatrzasków. Jeśli mogłaby pani, pani Judyto, napisać, co z tym zrobić, uratowałaby pani nie tylko moją kurtkę, ale także honor samotnego mężczyzny.
PS Bardzo przyjemna wiosna za oknami – u mnie. A co u pani? Brakuje mi pani nieocenionych porad. Teraz rzadko spotyka się kobiety, które w każdej sytuacji wiedzą, jak postąpić.

Nie lubię go. Ja przecież zrezygnowałam z prostych złośliwości. Ale mężczyźni nigdy nie są w stanie docenić tej ofiary.

Szanowny Panie,
w tej chwili sprawa z plamami rdzy jest prosta do rozwiązania. Po pierwsze, w każdej drogerii czy sklepie z artykułami chemicznymi może pan kupić odrdzewiacz, czyli płyn działający jak wybielacz, ale na rdzę. Sposobem domowym można wywabić rdzę w następujący sposób: tkaninę wokół plamy zwilżyć wodą. Pod plamę podłożyć ligninę. Plamę lekko przecieramy tamponem nasyconym dziesięcioprocentowym ciepłym roztworem kwasku cytrynowego. Przemywamy dokładnie czystą wodą. Niestety ten sposób bywa zawodny przy tkaninach kolorowych: mogą (choć nię muszą) pojawić się odbarwienia od kwasku cytrynowego.
Z poważaniem, w imieniu redakcji...

Nie usłyszy już ode mnie nic miłego.

Dlaczego w taką piękną pogodę mam siedzieć przy komputerze?

Droga Redakcjo,
moja koleżanka nie je. Chcę jej pomóc, ale nie mogę, bo ona uważa, że jest za gruba. Jest strasznie chuda, a rodzina się z niej śmieje, brat mówi: ty kościotrupie, rodzice ją wyśmiewają. Wiem, że chowa jedzenie i potem je wyrzuca, a kiedyś u mnie wymiotowała, jak mama podała nam obiad. Udaje, że bierze na przykład kolację do swojego pokoju, a potem wyrzuca. Czy to nie anoreksja?

Ja nie wyrzucam. Ale do mnie nikt nie powie: ty kościotrupie. Niestety.

Droga Karolino,
zwróć się do psychologa w Łodzi, który na bieżąco mógłby ci służyć pomocą. Z twojego listu wynika, że niestety masz rację. Twoja koleżanka ma problemy ze sobą – niejedzenie i przywiązywanie nadmiernej wagi do swojego wyglądu to najlepsza droga do anoreksji, która nie jest chorobą tycia, tylko uzewnętrznieniem poważnych wewnętrznych konfliktów. Być może rekompensuje sobie ona poczucie niższości – na pewno potrzebna jest jej potężna dawka pewności siebie i akceptacji – ale wątpię, czy ty sama dasz sobie z tym radę.

Mam nadzieję, że skontaktujesz się z psychologiem i wspólnie ustalicie, jakie wsparcie byłoby najlepsze dla Eweliny. Anoreksja jest groźną chorobą – statystyki mówią, że w dziesięciu procentach prowadzi do śmierci. W anoreksji zasada: jem, żeby żyć, zmienia się w chorobliwe: żyję, aby nie jeść. Skoro nawet kłopoty hormonalne nie powstrzymują twojej koleżanki – może to się stać bardzo niebezpieczne.

Mądra pomoc jest bardzo wskazana – ale w wychodzeniu z (czy zapobieganiu) anoreksji powinna brać udział cała rodzina. Upominanie, wyśmiewanie, dokuczanie, złośliwość wobec osoby, która chce być coraz chudsza – nie sprawdza się. Problem w anoreksji polega również na tym, że osoby te nie widzą siebie w sposób realny. Wsparcie i zrozumienie może dać efekt. Cieszę się, że napisałaś – i mam nadzieję, że zwócisz się o pomoc do profesjonalisty – to może być pierwszy krok, który zapew-

ni twojej koleżance poczucie bezpieczeństwa i powrót do
normalnego życia.
Z poważaniem, w imieniu redakcji...

Właśnie weszła Tosia. Rozjaśniona. Uskrzydlona. Zakochana. Boże, skóra mi cierpnie! Wstaję od komputera, podaję obiad.

– Nie będę jeść, odchudzam się! – oświadcza i nakłada sobie na talerz tylko odrobinę sałatki.

W moim własnym domu mam anorektyczkę, ale nie zwróciłam na to uwagi!

– Zwariowałaś! – krzyczę. – Chcesz się doprowadzić do jakiegoś chorobliwego stanu! Popatrz na siebie! Jeśli przestaniesz jeść, będziesz wyglądała jak kościotrup! Wszyscy się będą z ciebie śmiali! Nie będziesz miała piersi ani okresu! Zaburzenia hormonalne mogą doprowadzić do raka!

Aż się trzęsę. Gdzie ja miałam oczy, żeby nie zauważyć, że pod nosem mam taki problem!

– Pójdę zjeść do siebie. Teraz nie jestem w stanie nic przełknąć. Zdenerwowałaś mnie. – Tosia podnosi się i bierze talerz z nędzną resztką sałatki do kuchni. Chwilę tam się krząta i wraca do swojego pokoju.

No, tak! Przecież to się właśnie tak zaczyna! Ona myśli, że jest gruba! Już straciła ostrość widzenia! Nie mogę do tego dopuścić! Pukam do jej pokoju i wchodzę. Jest gorzej, niż myślałam. Przed Tosią obok sałatki leżą dwie kromki chleba, papryka konserwowa, jabłko, banan i serek homogenizowany z rodzynkami.

Potem będzie wymiotować! A stąd tylko krok do od-
wodnienia organizmu! Ale muszę się opanować.
Powinnam jej pomóc. Może czuje się niekochana.
Siadam na tapczanie.

– Muszę z tobą porozmawiać – zaczynam. – Może
nie jestem najlepszą matką, ale bardzo cię kocham
i uważam, że jesteś wspaniałą osobą. Nie musisz nie
jeść, żebym cię bardziej kochała. Oczywiście wszystko jedno, jak będziesz wyglądać, ja cię i tak nie przestanę...

Patrzy na mnie uważnie. Zbyt uważnie.

– No właśnie – przerywa mi z goryczą Tosia – nawet ci jest wszystko jedno, jak wyglądam. Czy ty nie
widzisz, że ja muszę zrzucić przynajmniej trzy kilogramy! Nie mieszczę się w spodniach, które mam od
stycznia! A ty mnie jeszcze denerwujesz i nie mogę
spokojnie zjeść! Przy jedzeniu musi być spokój!

Wychodzę. Wracam do komputera. Nie wiem, co
zrobić. Powinnam się skontaktować z jakimś psychologiem.

Tosia idzie do łazienki. Na pewno będzie wymiotować! Skradam się pod drzwi i nasłuchuję. Nic. I kiedy Tosia otwiera drzwi, wpada prosto na mnie. Łapię
się za brzuch i udaję, że mam bardzo silne bóle. Przygląda mi się dziwnie.

– Źle się czujesz?

Coś bełkoczę i zamykam za sobą drzwi. Wymiotowała? Chyba nie. Nic nie czuję, zresztą była w łazience krótko. Ale bulimiczki są sprytne. Na przykład

księżna Diana. Nikt o niczym nie wiedział! I jak skończyła?!

Z tego wszystkiego idę do lodówki i także biorę serek homogenizowany z rodzynkami. Patrzę na pudełko: jeśli zero kalorii – muszę interweniować. Szczęśliwie to normalny tłusty serek. Pyszny! Może jednak Tosia nie jest bulimiczką?

Dlaczego Hirek dzisiaj nie zadzwonił?

Poziom endorfin

Wróciłam wczoraj z redakcji, a tu dom otwarty na oścież, grabie rzucone obok, kłódka na bramie zamknięta. Wchodzę do domu – Borys pewno znowu chciał wyjść.

A tu niespodzianka! Na stole leży dwadzieścia złotych i kartka: ,,Pani Judko – nienawidzę swojego imienia i zdrobnień od niego – myśmy musieli zadzwonić, to nam powiedzieli, że tu jest telefon, to weszliśmy i zadzwoniliśmy, i zostawiamy te pieniondze, bo nam się nysa zepsuła pod Bydgoszczom i musieliśmy interweniować".

Nie mam bladego pojęcia, kto dzwonił z mojego telefonu. Nikt z najbliższych sąsiadów się nie przyznaje. Z Borysa nie mogę wydusić ani słowa.

*

Jak ja się beznadziejnie czuję. Może zapalenie oskrzeli. Ale przecież nie pójdę do lekarza, który jest daleko. Nikt o mnie nie pamięta, nikt mi nie pomoże. Gdybym mieszkała u Agnieszki i Grześka, toby się mną zaopiekowali. I nieletnia siostrzenica by wpadła do mnie. I mały dresiarzyk byłby w domu. I ktoś by mi zrobił herbaty. A tak muszę się zwlec, Tosia na wycieczce szkolnej w Krakowie.

Zimno w domu, robię sobie pyszne kanapeczki – jaka szkoda, że jak jestem chora, to mi tak smakuje jedzenie – i wchodzę z powrotem do łóżka. Dzisiaj sobie zrobię ucztę telewizyjną.

To już przekracza wszelkie granice!

Nie wkurza mnie fakt, że przez czterdzieści minut jakiś miły pan proponował jednej pani, żeby jednak wybrała to, co pod cylindrem, a nie to, co w bramce, i dawał jej za to pieniążki. Że obejrzałam teleturniej. Nie. Rozumiem – taka rozrywka może być pożyteczna dla jakiejś komórki w mózgu, jeśli ta komórka tam jest.

Nie drażni mnie dziennik, gdzie pokazują po raz kolejny, że w Poznaniu zabili jednego mafiosa, nie, to niepożyteczna, ale jak się domyślam, komercyjna informacja. Na wszystkich kanałach już siódmy raz!

Nie dotyka mnie bezpośrednio serial *Luz Maryja* czy identyczny o zupełnie innym tytule, który zawsze kończy się w tym momencie, kiedy ciemny facet z cudownym zarostem, z lekko odsłoniętym torsem, na którym ma seksowną ciemną kępkę włosów, ma pocałować piękną kobietę w długiej sukni z rozpiętym górnym guzikiem i widać ten rozkoszny rowek między piersiami, a wszystko to filmuje jedna statyczna kamera, i wtedy drzwi się uchylają... i idą napisy.

Nie, bo niby dlaczego mam się z tego powodu złościć? W zeszłym tygodniu było to samo w sześćset pięćdziesiątym ósmym odcinku.

Włosy, włosy, włosy. Nie buntuję się przeciwko suchym końcówkom, którym mam zdecydowanie powiedzieć nie. Może to ma związek z tym, że nie jestem mężatką?

Nie mam nic przeciwko temu, że bez przerwy jakaś pani podaje jakiemuś panu kawę do łóżka. Jej sprawa. A w tle ktoś smętnie śpiewa, że tak należy zacząć dzień. Nie. Niech sobie Jola tak zaczyna dzień. Mam na ten temat inne zdanie. Nie drażnią mnie tampony, których mam używać i używać, aż będę mogła się przebierać i przebierać. Nie doprowadzają mnie do szału propozycje kupienia niezwyczajnego proszku, żebym mogła prać i prać. Jakbym nic innego nie miała do roboty! Ale dlaczego, na miłość boską, mam się przejmować tym, co znajduje się pod obrzeżem mojej muszli klozetowej? Dlaczego? Przy jedzeniu? Przy pysznych kanapeczkach? Czy ktoś myśli, że reklamy jakoś wpływają na kobiety takie jak ja? Że zwiększają podaż!

Mogą tylko zbrzydzić życie. Szczególnie takiemu choremu człowiekowi jak ja. Zostawionemu na pastwę losu. O którym nikt nie pamięta. Mogłabym umrzeć i nikt by się o tym nie dowiedział. Aż bym się rozłożyła i zaczęła śmierdzieć. I na dodatek nie mam nawet maleńkiego snikersa, który by mi podwyższył poziom endorfiny w mózgu i polepszył samopoczucie. Jednej malutkiej czekoladki, która by mi odrobinę osłodziła życie. Niewielkiej. Którą świstak zawija w papierek. Nic.

Dlaczego mi tak spadł poziom endorfin? Pożytecznych niewidzialnych cząsteczek, które uprzyjemniają życie? Dlaczego nikt mi nie przyniesie nawet jednej maleńkiej czekoladki?

*

A jednak to był dzień bardzo przyjemny. Muszę zapamiętać to, co mówi mój naczelny. Nie chwal dnia przed zachodem słońca.

Jak tak leżałam i leżałam, a telewizja mi kazała pod to obrzeże – fuj, to zadzwonił Hrabia, który jest bardzo miłym weterynarzem i moim kumplem. Bez przerwy się w kimś kocha. Ale nie we mnie.

Zakaszlałam mu do słuchawki i natychmiast powiedział:

– Oho, ale masz zapalonko oskrzeli.

Nie minęła godzina, a przyjechał z lekarstwami. Wie jakie. Bo zwierzęta też mogą mieć zapalenie oskrzeli. Przywiózł mi w koszyczku wiklinowym obiad przez siebie zrobiony, tabletki niedobre, ale w ogóle to dobre, soczek pomarańczowy, jajka i zapytał, czy jest wezwany do UZK. Nie zgadniecie, co to jest. To jest Ubój Z Konieczności. Taki męski weterynaryjny skrót. Oznacza on, że jeśli zwierzątko jest nie do leczenia, to je się ubija.

W dzisiejszych czasach UZK stosuje większość mężczyzn, którzy zamieniają stare (to znaczy dojrzałe i piękne żony) na plastyczane Barbies, z którymi należy się delikatnie obchodzić, bo im może silikon wyciekać. Ale Hrabia powiedział, że nie usypia tak nędznie wyglądających kobiet. To mnie ucieszyło. Mam okazję zrobić porządek pod obrzeżem mojej muszli klozetowej. Oczywiście w przyszłości.

Z wdziękiem powiedziałam, że pierwszy raz widzę Hrabiego z jajami.

Kazał mi połknąć – przy sobie! – wszystkie olbrzymie tablety, którymi o mały włos się nie udławiłam. Następnie zrobił mi aspirynę z witaminą C i też kazał wypić. Okropna!

Następnie kazał mi zjeść obiad – kluseczki z mięskiem i sałatkę z cykorii, które przywiózł w słoikach. Cykoria była niedoprawiona. Poczułam się cudownie. Następnie kazał mi iść do łóżka i zmył naczynia. Zastanawiam się, czy nie chorować – oczywiście raz na jakiś czas.

Następnie zadzwoniła Ula i zapytała, dlaczego u mnie okna są zamknięte. Czy żyję. Hrabia pojechał, przyszła Ula i przyniosła mi dwa cukierki takie jak w telewizji, z kokosem na wierzchu, który zdrapałam (w tajemnicy przed nią), bo nie lubię kokosa. Zapytała, czy był u mnie lekarz. Jak się dowiedziała, że był Hrabia, to tylko westchnęła:

– No tak, któżby ciebie mógł leczyć, jak nie weterynarz!

Dobrze, że jestem chora i nie muszę wszystkiego rozumieć.

Zadzwoniła moja mama i zmartwiała, że jestem chora, ale jej powiedziałam, że był lekarz i że wszystko w porządku. Nie mówiłam, że lekarz od zwierząt.

Zadzwonił mój ojciec, do którego zadzwoniła moja mama i powiedziała, że był u mnie lekarz, i powiedział, że gdyby go ktoś pytał o radę, itd...

Zadzwoniła moja mama i zapytała, czy czegoś nie potrzebuję, może przyjechać.

Następnie zadzwonił ojciec, do którego zadzwoniła moja mama, że być może przyjedzie, i zapytał, czy mi czegoś nie potrzeba, to podeśle przez mamę, choć gdybym go wcześniej zapytała o radę, to radziłby mi itd...

Następnie zadzwoniłam do mamy i powiedziałam, żeby nie przyjeżdżała, bo Ula się mną opiekuje.

Następnie zadzwonił ojciec, do którego zadzwoniła mama, że jednak nie przyjedzie, i powiedział, że ma dla mnie herbatę, herbatniczki i kawę, skoro jestem chora, i to wszystko przy okazji podrzuci. Bo był w „Makro".

„Makro" to jest bardzo pożyteczny sklep, w którym wszyscy kupują rzeczy, o których by nawet nie pomyśleli w innym sklepie, i kupują tych rzeczy dużo, w ilościach hurtowych. Mój ojciec raz na jakiś czas jedzie do „Makro" i wtedy kupuje na przykład skrzynkę orzeszków w miodzie, które potem przez dwa lata wszystkim rozdaje.

Albo kontener z herbatami, które potem rozdaje. Albo skrzynkę z serkami, które są u niego w sklepie, tylko w sklepie to by kupił rozsądnie i miał jeden świeży serek.

A tak ma skrzyneczkę serków. Których data ważności nieuchronnie z każdym dniem się przybliża i pozostaje w stosunku odwrotnie proporcjonalnym do przerobu przez tatusia tych serków.

Mój brat, jak przyjeżdża z końca świata, to idzie z tatusiem do „Makro" i wtedy też kupuje sobie w hurcie. Na przykład ołówki. W opakowaniu jest ich sto. Po co komu sto ołówków?

*

Siadłam do komputera i pracuję. Ale dzisiejsza dawka listów mnie wykończyła. Czyżby u nas ukazał się artykuł o seksie? Pierwszy list o penisie.

Droga Redakcjo,
mam piętnaście lat, ale mój penis w wzwodzie odchyla się lekko w lewą stronę. Czy to mi nie sprawi jakichś kłopotów w przyszłości?

A skąd ja mogę wiedzieć? Obdzwaniam wszystkich męskich przyjaciół, pytając ich o penisy. Będą mnie mieli za nimfomankę. Ale okazuje się, może się krzywić. Na ogół się krzywi.

Weterynarz Hrabia pyta:
– A w której nogawce on go nosi?

A co ja jestem, jasnowidz? To to się nosi w nogawce? Pomyśleć, że jeszcze w tym wieku dowiaduję się czegoś nowego.

Drogi Hubercie,
przed chwilą zrobiłam poważny wywiad wśród mężczyzn, wśród nich był lekarz.

Nie napiszę, że od zwierząt.

Penis może się wykrzywiać w jedną lub drugą stronę. Jeśli nosisz go w lewej nogawce – może to być wynik jednostronnego noszenia lub ucisku, ale nie musi. Tylko na zdjęciach erotycznych penisy wyglądają tak prosto. U większości mężczyzn się odchylają i nie powoduje to żadnych kłopotów w życiu seksualnym. Jeśli bardzo jesteś zaniepokojony – przy najbliższej okazji pokaż go twojemu lekarzowi pierwszego kontaktu lub poproś o skierowanie do...

Już trzeci dzień żadnych wiadomości od Hirka. Nie wiem, co się stało. Co chwila sprawdzam pocztę elektroniczną – i nic. Nikt się nie może dodzwonić, bo ja się nie mogę połączyć, a telefon jest i tak zajęty. Co to za głupota z tymi e-mailami?

Krzyś powiedział, że o czwartej nad ranem nie ma żadnych problemów z wejściem do Internetu. To ja już wolę normalnego listonosza w południe. Pomyśleć, że nie mam dosyć listów!

Droga Pani Judyto,
odpowiedziała pani na list mojej koleżanki, a ja też mam problem. Otóż wiem wszystko o zachodzeniu w cią-

żę itd., bo jestem uczennicą trzeciej klasy LO, chociaż dziewicą. Ale chciałabym wiedzieć, czy jeśli się siedzi chłopcu na kolanach, to na pewno się nie zajdzie w ciążę? Jeśli on ma na sobie spodnie „Levi's"?

Lepsze niż telewizja. Niż *Luz Maryja*. Niż quiz o kapeluszach. Nie rozumiem. To kiedy on ma te spodnie na sobie? Zanim siadasz czy potem?

Droga Aniu,
jeśli jesteście ubrani – ciąża wam nie grozi. Natomiast jeśli w przyszłości będziesz próbowała usiąść na kolanach nagiemu chłopcu i ty również będziesz rozebrana – nie biorę za nic odpowiedzialności.
Masz jeszcze czas na rozpoczęcie współżycia i nie dziwi mnie twój nieśmiały dopisek, że jesteś dziewicą. To wspaniałe. Natomiast zanim zaczniesz współżycie – skontaktuj się z lekarzem ginekologiem, który wskaże ci bezpieczne dla zdrowia środki...

Boże drogi, a Tosia na wycieczce! Ta dziewczyna jest w wieku Tosi!

*

Przyjechała Tosia z wycieczki.
Nie wygląda anorektycznie. Ale mogę się mylić. Muszę czuwać.
Od drzwi zapowiedziała, że zrobi sobie tatuaż, bo to modne. Motylka! Na ramieniu!
Zmartwiałam. Krzyknęłam, że po moim trupie.

Co zrobiła Tosia? Popatrzyła na mnie i powiedziała:

– Moje ciało to moja własność i mogę zrobić z nim, co zechcę. Wasze dzieci nie są waszą własnością... Słyszał kto kiedy podobne bzdury! I dlaczego ona mi grzebie w komputerze? Nienawidzę tego! Dlaczego to nie cudza córka robi sobie tatuaż? Dlaczego, pytam, nie obca jakaś dziewczynka, która chce się wyróżniać i być modna, robi sobie tak straszną krzywdę!

Droga Redakcjo,
jak mam wybić z głowy córce tatuaż? Mówi, że jest...

Droga Pani,
najważniejsze to uświadomić córce, że to objaw buntu młodzieżowego. W żadnym razie nie histeryzować z tego powodu. Prawda jest taka, że jej ciało jest jej własnością. Rozumiem panią doskonale, ale nie ma pani wpływu na to, co robi z sobą pani córka. Skoro się dobrze uczy i nie sprawia kłopotów – tatuaż nie jest nieszczęściem, w przeciwieństwie do narkotyków.

Ważne, aby zrobiła go sobie w zakładzie, który jej nie okaleczy i który dba o higienę i czystość, a nie pokątnie. Pani zdecydowany opór może się tylko przyczynić do upewnienia jej w tej decyzji. Może lepiej porozmawiać o konsekwencjach – o zmieniającej się modzie, o tym, że ciało rośnie i skóra się rozciąga. Za dwa lata po prostu może – dziś piękny motyl – wyglądać koszmarnie...
Z poważaniem, w imieniu redakcji...

Ja chcę mieć nietatuowane dziecko. Najlepiej w pieluszce.

Zadzwonił. Tęskni.

Tosia zrezygnowała z tatuażu. Boże, dzięki. Wygłosiłam parę wspierających zdań. To wspaniale, że nie ulega naciskowi grupy. Że jestem z niej dumna. Że umie dbać o siebie.

Dzisiaj Tosia wróciła z Warszawy. Z kolczykiem w nosie. Ratunku!

*

Przyszła Ula. Jest wstrząśnięta. Jej młodsza córka ma malutki, zgrabniutki tatuażyk na ramieniu. Widziałam. Całkiem nieźle wygląda. Nie to co kolczyk. Cierpnę na samą myśl, co będzie, jak przyjedzie moja mama.

Moja mama zadzwoniła i zapytała, co nowego.

Nic.

Oprócz tatuażu. U Uli. I kolczyka. W nosie. U mnie w domu!

Wiosna

No, szczęśliwie wiosna w pełni i teraz możemy znowu z moją Ulą przez płot uprawiać życie towarzyskie, które zimą mocno szwankowało. To znaczy szwankowało przy płocie, bo w domach to się toczyło przyjemnie przez całą łaskawą w tym roku zimę. Wiosna wyłazi z ziemi i z powietrza, a my z Ulą wymieniamy przy płocie ważne poglądy i dzielimy się planami na przyszłość. A tu trzeba dosiać, a tu usunąć, a tu przesadzić, a tu sprzątnąć.

Właśnie wtedy przed furtką stanęła nasza trzecia sąsiadka, trzymając w rękach badyle suche, a ukorzenione. W prezencie Uli je niosła, ani chybi, bo przed jej furtką stanęła. Nie powiem, zazdrość mną trzepnęła szybko i zdecydowanie, bo co jak co, ale suche badyle, które pięknie za chwilę zakwitną różowymi kwiatami, to ja lubię nade wszystko, ale powstrzymałam to uczucie w porę. Przywitałam się więc serdecznie przez siatkę, zduszając uczucie w zarodku. Zanim sąsiadka zdążyła cokolwiek miłego odpowiedzieć, z domu Uli dobiegł krzyk.

Drgnęłyśmy wszystkie trzy, a ukorzenione badyle też drgnęły w ręku sąsiadki.

– Ty idiotko! – doleciało.

– Sama jesteś idiotka! – odpowiedział przeczysty głos drugiej córki Uli.

– Mówiłam ci, nie ruszaj mojej szminki!

– Nie ruszałam!

– Ruszałaś! Tak samo jak moją bluzkę wzięłaś bez pozwolenia!

– Ty chamko! Raz tylko, i to dlatego, że ty dostałaś, a ja nie!

Odetchnęłyśmy z ulgą. To córki Uli również wymieniały poglądy, a wiosna sprzyjała ich rozprzestrzenianiu się, bo i okna już uchylone i głos się niesie daleko.

Sąsiadka z badylami patrzyła na Ulę. Zrobi coś czy nie? Ula nie robiła nic. Nie zamierzała się wtrącać. Zwróciła swoją pogodną twarz w kierunku sąsiadki i powiedziała o badylach:

– Jakie piękne! Co to?

– Nie odzywaj się tak do mnie! – krzyczało przez okno.

– Oddawaj moją bluzkę, złodziejko!

– Masz i zamknij się! A szminki nie brałam! Nic nie mam! Nigdy nic nie dostaję, tylko ty! Nienawidzę cię!

– Brałaś, bo tu była!

– Jak masz bałagan, bałaganiaro, to ci ginie!

Ula delikatnie głaskała badyle.

– Ach, jakie dorodne – zachwycała się. – Na pewno będą kwitły w tym roku!

– Mamo! – z okien teraz lała się rozpacz. – Mamo, powiedz jej! Ona mnie bije!

– Ty kłamczucho, a to teraz masz! Mamo! To ona mnie bije!

Ula odłożyła badyle koło płotu.

– Przepraszam was na chwilę, zaraz wracam – powiedziała. I weszła do domu.

W domu ucichło.

Wyszła za chwilę z tacką, trzema kubkami herbaty i postawiła to wszystko przy płocie na pieńku. Przez siatkę podała mi kubeczek. W domu było cicho, sikora dzwoniła gdzieś w starym ogrodzie. Patrzyłyśmy na nią wyczekująco.

– Lały się – powiedziała.

– No i co? – zainteresowałyśmy się obie z sąsiadką.

Ula posiada niezmierzone umiejętności zażegnywania konfliktów oraz nieuczestniczenia w nich. Tu, widać, coś zrobiła. Bardzo byłam ciekawa, co się robi w takim przypadku. I po której stronie się staje. Po stronie córki, która jest podejrzewana przez drugą, że coś wzięła, czy po stronie tej drugiej, co jeśli nawet wzięła, to dlatego, że nie ma. Ale wzięła bez pozwolenia, jeśli wierzyć tej pierwszej, i tego nie można usprawiedliwić. Skoro nie ma, to jest biedniejsza. Ale nawet jeśli czuje się poszkodowana, to przecież nie powinna używać brzydkich słów. Z drugiej strony, jeśli ich używa, to dlatego, że ta pierwsza też ich używa. Może Ula skupiła się wobec tego na fakcie, która pierwsza uderzyła.

Ten problem wydał mi się tego wiosennego dnia fascynujący. Czy traktować równo obie tak samo kochane córki? Czy w ogóle traktować je poważnie? Jeśli stanąć, to po czyjej stronie? I dlaczego? Potem pomyślałam o Tosi. Jest pojedyncza – zawsze jestem po jej stronie, choć czasem tego po mnie nie widać. A gdyby były dwie? Tak jak my przy tym płocie? Komu bym dała badyle, z których za chwilę będą piękne krzewy?

Och, nasza sąsiadka powinna była też pomyśleć o mnie. Choć, z drugiej strony, badyle mogą się nie przyjąć, bo są duże, a na dodatek mogą nie być takie śliczne.

Ale co zrobiła Ula? Po prostu weszła do pokoju, gdzie jej córki brały się za łby i każda z nich krzyczała „mamo!". A potem powiedziała:

– Proszę w tej chwili przestać bić moje dziecko!

I poszła robić herbatę.

Badyle nie wydawały mi się takie ważne. Oto Ula w wiosenny dzień pokazała mi całą mądrość dobrej matki. Spokój. Cierpliwość. Oraz miłość. Nie musiała stawać po jakiejś stronie. Ona też była po stronie swoich córek. Patrzyłam na nią z podziwem.

Ula sięgnęła po badyle i powiedziała do sąsiadki:

– Strasznie ci dziękujemy, jakie one będą piękne! A Isia rzeczywiście nie ma co na siebie włożyć. Pojadę z nią jutro na zakupy. Jak one cudnie będą kwitły!

A sąsiadka powiedziała:

– No właśnie, tak sobie pomyślałam, że jak posadzicie na zmianę, jeden po tej stronie siatki, drugi po tej, to i psy tak nie zniszczą, i ładnie się będą przeplatać. Możecie sobie wyobrazić, jak się poczułam. Przecież już od dawna nie jestem małą, zazdrosną dziewczynką! Nawet momentami myślę, że mam dobry charakter. A tu taka wpadka! Taki rys mojego charakteru. Jak bym chciała czasami być Ulą! Bo dla niej najważniejszą starszą córką jest starsza córka, a najważniejszą młodszą córką jest młodsza córka.

Tosia zdjęła kolczyk, bo jej się paprze dziura w nosie. Oraz się odkochała. Mam nadzieję, że nie będzie miała kłopotów przy katarze.

Pojutrze wraca Hirek.

Niebieski nie napisał.

Czemu ci mężczyźni są tacy obrażalscy?

*

Hirek nie zadzwonił. Dzwoniłam na jego komórkę – wyłączona. Nie wiem, co się dzieje. Nie wiem, co się dzieje, niewiemcosiędzieje, cosiędzieje. Wiedziałam, że tak będzie. Podejrzewałam. Czułam to cały czas. To wszystko było za piękne, żeby mogło być prawdziwe. Nie wiem, co robić. Nie mogę sobie znaleźć miejsca.

Dlaczego to beznadziejne słońce świeci, choć on nie dzwoni! Wolałabym, żeby lało.

*

Byłam w redakcji. List od Niebieskiego.

Droga Pani Judyto,
starałem się zastosować do pani sugestii, wyrażonej aż nazbyt wyraźnie: ,,jeśli mogę panu pomóc w domowych problemach", i oto proszę, ja piszę, a pani sucho odpisuje, jak obcemu. Może jednak trochę empatii? Jeśli to słowo za trudne, przypomnę za słownikiem wyrazów obcych PWN: empatia to ,,uczuciowe utożsamianie się z jakąś osobą i wywoływanie w sobie uczucia, które ona przeżywa". Jeśli więc byłaby pani zdolna choć trochę do empatii, nie zostawiałaby mnie pani na lodzie. A może mi jest ciężko bez pani listów?
A teraz pytanie zasadnicze: czy dysponuje pani jakąś informacją, co zadowoliłoby kobietę? Z góry dziękuję.

Oj, Niebieski, na pewno nie jest to mężczyzna. Nie łudź się.

Zajmę się ciekawszym listem:

Droga Pani,
nie wiem, czy to ja jestem nienormalna, czy świat koło mnie zgłupiał. Nie wiem, dlaczego mam w wieku dwudziestu ośmiu lat rezygnować z marzeń tylko dlatego, że mój chłopak uważa, że to mrzonki. Jesteśmy ze sobą cztery lata. Ustąpiłam, kiedy powiedział, że jeszcze nie dojrzał do małżeństwa. Nie nalegam, myślę, że to kwestia

czasu. Ale w ciągu tych czterech lat ani razu nie pamiętał o moich urodzinach czy imieninach. Kiedy powiedziałam, że jest mi przykro, zareagował złością i powiedział, że przymusu nie lubi. Straciłam dystans do tego, co się dzieje – dla mnie prezenty to dowód pamięci i uczuć. On się śmieje ze mnie i mówi, że potrzebuję rycerza na białym koniu – że to dziecinne.

*

Nie wiem, dlaczego prześladuje mnie aż taki pech. I kiedy przestanie mnie prześladować. Nie wiem, czym sobie na to zasłużyłam. Już naprawdę nie życzę ospy nikomu, cieszę się, że Tosia bywa u ojca i że lubi swojego przyrodniego braciszka. Ale takiego scenariusza w najśmielszych marzeniach bym nie wymyśliła.

Ula staje dzisiaj przy płocie i pyta, czy oglądałam dziennik. Nie. Dziennika nie oglądam. Chyba że jestem chora. Oglądam filmy dokumentalne i o miłości. Nie oglądam sieczki, chyba że jestem chora. Widzę, że Ula coś niepewna przy tym płocie. Pytam:

– A o co chodzi?

– Dobrze by było, żebyś obejrzała dzisiejszy dziennik. Przyjdę do ciebie na *Panoramę* – mówi Ula.

Tak to do niej niepodobne, że dzwonię do mamy i pytam, co słychać. Ona zawsze ogląda dziennik. Więc by mi powiedziała, że powinnam oglądać dziennik, bo... Nie tylko dlatego, że ludzie inteligentni muszą oglądać dziennik. A kto mnie zmuszał do spacerów o wpół do ósmej w stanie wojennym? Mama nic nie mówi, tylko pyta o Tosię.

Tosia ma się dobrze.

Ula przychodzi na *Panoramę* i niesie dwa drinki.

Co się dzieje?

Panorama się zaczyna. Ula mówi:

– Pij.

To piję.

No i jest.

Hieronim K. Domniemany szef grupy w gangu z X zatrzymany. Oto jego żona, która przybyła na wstępną rozprawę. Oto jego dzieci. Dwójka. Rozkoszne. Oto jego szef. Mniej rozkoszny. Oto akta sprawy. Oto komentarz. Że grupa operacyjna już od paru miesięcy... Że dzielna policja namierzyła... Że już na lotnisku, gdzie domniemany oskarżony witał się z żoną po powrocie z Londynu...

Hirek. Jak żywy. Wypijam drinka jednym haustem. Ula przelewa mi swojego i idzie po butelkę. Gaszę telewizor. Wraca Ula. Borys leży przy kominku, Zaraz próbuje atakować mu ogon. Wypijam drugiego drinka. Ula nieśmiało mówi:

– Na pewno by zadzwonił, gdyby go nie zgarnęli. A może to wszystko pomyłka?

Pies z tym, że gang, ale żona! Kłamał.

– Na pewno mu na tobie zależało – mówi Ula i leje następnego drinka.

Na pewno! Ależ ja jestem głupia. Ale czy to nie było dziwne, że nie znałam jego normalnego telefonu? Że tylko komórka. Że nagle wyjeżdżał. Że miał kierowcę. A dlaczego mnie nie odwiózł z tym kierowcą? Bo żona czekała. Tak się dałam nabrać. Boże, niedługo mi strzeli czterdzieści lat, moja córka niedługo będzie pełnoletnia, może nawet sobie zrobi tatuaż, a ja ciągle na poziomie... rozwojowym jakimś! Przecież to jasne!

Ula mnie próbuje pocieszać, że bez wątpienia musiałam go zainteresować.

Nawet nie nienawidzę mężczyzn. Jestem strzaskana. Wiadomo, że jeśli mnie ktoś leczy, to weterynarz.

A jeśli się mną ktoś zainteresuje, to mafioso.

Wypisuję się z tego.

Chcę na nizinę!

Dochodzę do siebie dość powoli. Już chyba lepiej Eksia zniosłam. Przynajmniej wszystko było jasne. Nie wiem, dlaczego mnie takie rzeczy spotykają. Jaka jest statystyczna szansa, żeby w wieku lat trzydziestu siedmiu spotkać mężczyznę, zakochać się w nim, i żeby się okazało, że to członek gangu? Widać Pan Bóg mnie przenosi w wyższe rejony statystyczne. Chcę na nizinę.

*

Od dzisiaj nie odkładam roboty na później. Rano wstaję i się gimnastykuję. Potem pracuję do drugiej. Potem ogród. Potem znowu praca. Biorę się do porządnego wychowywania dziecka. Dzisiaj wieczorem zrobię porządek w szafkach w kuchni. Jutro łazienka włącznie z obrzeżami.

Muszę zacząć normalnie żyć. Żadnych facetów – nawet gdyby jakiś ze złota tu się zaplątał!

*

Zadzwonił Hirek. Że on mi wszystko wytłumaczy. Że jestem światłem jego oczu. Itd.

Zaproponowałam mu, żeby się bujał.

*

Wczoraj w nocy ktoś nam chodził pod oknami. Wiem, że to nie ma nic wspólnego z niczym, ale się boję. Nie śpię. Dzwonię do Uli. Ula obiecuje wyjrzeć przez okno. O trzeciej w nocy słyszę jej krzyk:

– Złodzieje!

Widziała, jak ktoś przeskakiwał przez nasze płoty. Dzwonimy po policję. Policja jest na bójce w drugim końcu miasteczka. Ten ktoś ucieka. Ustalamy wspólnie, że zgłaszamy się do agencji ochrony. Po południu zakładają nam alarmy. Dodatkowo dostajemy dwa piloty napadowe. Wystarczy tylko nacisnąć, jak ktoś nas napadnie.

Dlaczego ja się chciałam tu wyprowadzić?

*

Siedzimy sobie wczoraj z Tosią i oglądamy *Archiwum X*. Borys leży na kanapie, Zaraz skacze radośnie po kwiatkach, wyrzucam go do przedpokoju. My zajadamy zamówioną pizzę – Tosia nie jest anorektyczką. Agentka Scully właśnie wchodzi do ciemnego pomieszczenia, gdzie czai się facet, który morduje, a przedtem się zamienia w jakiegoś potworka. Agentka Scully, mimo że o tym wie, włazi do tych magazynów, jak gdyby nie wiedziała. Trzyma przed sobą nędzny pistolecik, a my słyszymy oddech tego potwora! I wtedy wpadają panowie w czarnych ubraniach z bronią w ręku. Nie w telewizorze. Do nas. Do domu. Tosi pizza wypada z ręki, ja martwieję.

– Był napad! – mówi jeden z panów. – Hasło.

Agentka Scully zostaje zaatakowana przez potwora, jej marny pistolecik toczy się po podłodze jakiegoś hangaru.

– Hasło!

Tosia podnosi z dywanu pizzę.

– Nasze? – pyta inteligentnie moja córka.

Nie wiem, po kim odziedziczyła te resztki zdrowego rozsądku.

– Chcemy zobaczyć mieszkanie, mieliśmy sygnał o napadzie.

O Boże, to tylko ci, co mnie chronią, a nie napadają! Dzięki ci, Panie! Niestety muszą obejrzeć mieszkanie.

W kuchni burdel, bo wypakowałam wszystko z szafek z zamiarem ich umycia. Jutro skończę. W łazience burdel, bo jutro zacznę. Obrzeża! W pokoju Tosi burdel, bo ona nie zacznie i nie skończy, bo ma prawo do swojego miejsca na ziemi. Panowie sprawdzają wszystko. Próbuję przysięgać, że nie byłyśmy napadnięte. Niestety, nie pamiętam hasła i muszę zadzwonić do Uli. Ula pamięta. Mówię hasło. Odwołuję alarm napadowy. Panowie patrzą na mnie dziwnie. I kiedy wychodzą, pod nogi wpada im Zaraz. Zgadniecie, czym się bawi? Pilotem napadowym!

Pan drugi odwraca się w drzwiach i mówi:

– Niech pani jednak zamontuje jakiś zamek. Przecież myśmy weszli, bo było otwarte.

A niech mnie. W ramach zmiany trybu życia zamontuję ten cholerny zamek.

*

Zadzwonił Hirek.
Czemu on, do cholery, dzwoni?

*

Bardzo porządnie stosuję się do swojego planu zajęć. Udało mi się dzisiaj również zrobić gimnastykę. O dziewiątej rano siadłam do komputera. Sięgnęłam po kopertę.

Droga Redakcjo,
mam mnóstwo kłopotów i problemów, ale z jednym nie daje się żyć. Ratujcie! W łazience pojawiły mi się małe ruchliwe żyjątka, prawie przezroczyste, bez skrzydeł. Nie wiem, co to jest ani jak to wytępić.

Droga pani, czy nie chciałaby się pani ze mną zamienić? Zamienię swojego ukochanego na rybika. Mogę nawet wziąć ich całą masę. Czy marzy pani o poważniejszych kłopotach? Być porzuconą żoną, mieć córkę z kolczykiem w nosie i ukochanego, który jest mafiosem? Niech pani sobie kupi kozę i trzyma ją razem z rybikami przez trzy tygodnie. A potem proszę usunąć kozę. Rybiki przestaną pani przeszkadzać... Nie będę przenosić swojej złości. Będę teraz uczciwie pracować.

Droga Pani,
rybik cukrowy jest niewielkim, 7–10 mm, miękkim, bezskrzydłym owadem, podobnym do małej rybki. Ciało jego jest pokryte mieniącymi się metalicznie, srebrzysto-szarymi łuskami. Pojedyncze owady spotyka się szczególnie w mieszkaniach z wielkiej płyty. Rybiki lubią miejsca, gdzie jest wilgotno, ciepło i ciemno. W naszych mieszkaniach występują więc w szafkach pod zlewozmywakiem, w okolicach rur kanalizacyjnych, pod wannami, w wykładzinach. Można je zobaczyć po zapaleniu światła.

Tylko ja jakaś ślepa jestem. Wszystko widzę po fakcie. Eksio – bardzo proszę. Przyszedł, powiedział, że nie może ze mną żyć. Nie będę myśleć o mężczyznach. Będę myśleć o rybikach. Zawsze. Wyłącznie.

Rybiki mogą wspinać się po powierzchniach pionowych, ale chropowatych – z umywalki czy wanny nie mogą wyjść. Lubią węglowodany – cukry, mąki, kasze, klej do tapet, suszone zioła. Ich rozwój trwa około roku, a żyją nawet do trzech lat.
Jaja rybików nie rozwijają się, jeśli temperatura spada poniżej dwudziestu dwóch stopni, a wilgotność powietrza jest mniejsza niż pięćdziesiąt procent. Nie są szkodliwe – rzadko zdarza się taka inwazja, żeby uszkadzały tapety czy książki.

Książki najbardziej uszkadza rozwód. Nie mam połowy swoich książek. Wszystko dlatego, że świat jest pełen mężczyzn. Świat pełen rybików jest światem lepszym.

Nie należy dopuszczać do powstawania trwałych plam wilgoci pod wykładzinami podłogowymi, szafkami, wannami. Jeśli owadów jest dużo, można rozstawić trutkę: „Detia Silberfischen Koderdose Baygon Ungezieferkoder" lub trutki przeznaczone do zwalczania prusaków i karaluchów. Zamiast trutek można stosować również preparaty aerozolowe. Opryskiwać trzeba tylko miejsca występowania rybików – powierzchnie pod wannami, szafkami, zlewozmywakami.

Dlaczego na biedne, urocze, nieszkodliwe rybiki ktoś wynalazł tyle trucizn? Dlaczego nikt nie wynalazł środków, którymi można by opryskiwać nieuczciwych mężczyzn? Czegoś, co by zapobiegało zagnieżdżaniu się takowych i nie dopuszczało do ich rozmnażania? Eksio jednak był uczciwy. Nie oszukiwał mnie ani przez moment. Od razu uczciwie powiedział, że Jola jest kolejną kobietą jego życia. Dobrze mu tak.

Druga koperta. Czy Niebieski kpi ze mnie jak zwykle? To bez znaczenia.

Drogi Panie,
jest jeden sposób – zdaniem znanego terapeuty – żeby spotkać partnera uczciwego, dobrego, czułego i mądrego. Najpierw należy takim człowiekiem się stać.
Jeśli pyta mnie pan rzeczywiście o radę w sprawie kobiet, myślę, że wbrew pozorom kobiety nie potrzebują

wiele. Chcą kochać i chcą być kochane. Ale nie jestem zbyt mądra w tych sprawach, ponieważ w moim życiorysie nie było dobrych i trwałych związków. I jak myślę o tych wszystkich listach do pana – łapię się na tym, że na pana pierwszy list dzisiaj odpisałabym inaczej. Ale wtedy byłam w dość fatalnym humorze. Napisał pan jako porzucany mąż do redakcji z prośbą o pomoc, a odpisała panu porzucana właśnie żona. Proszę mi wybaczyć ten pierwszy list – rozżalonej i zgnębionej wtedy kobiety.

Porzucam więc swoje chęci dołożenia mężczyznom i odpowiem tak szczerze, jak mnie na to stać: wiem, jak łatwo jest zrobić kobiecie przyjemność – słuchając tego, co ona mówi i nie próbując od razu rozwiązywać jej problemów. Wystarczy słuchać. To jest ten rodzaj wsparcia, którego tak naprawdę ona potrzebuje.

Z rzeczy bardziej przyziemnych doradzę panu dbanie o nią. Jeśli lubi kwiaty – to ma te kwiaty dostawać. Jeśli lubi podróże – to niech pan z nią wyjedzie, nawet kosztem debetu na koncie. Zwróci się. Jeśli lubi łzawe filmy – niech pan z nią pójdzie czasami na taki. Są gorsze rzeczy niż łzawe filmy – niech mi pan wierzy.

A poza tym to właściwie należy się tylko kochać.

Czego panu serdecznie życzę, w imieniu redakcji...

*

Tosia się dzisiaj spóźniła ze szkoły cztery godziny! Myślałam, że już doszczętnie osiwieję. I na dodatek zaczęła mi opowiadać bzdury, że najpierw przełożono im zajęcia fakultatywne, a potem mały fiat wjechał pod betoniarkę i ktoś zginął, i w związku z tym nie mogła podjechać do koleżanki, do której miała iść od razu po szkole itd.

Powiedziałam Tosi, żeby nie kłamała. Nie wiem, dlaczego ona przywołuje na pomoc swoją zbyt bujną wyobraźnię. Nie mogę mieć do niej zaufania. To przykre. Tosia rozpłakała się i zamknęła się w swoim pokoju.

*

Wieczorem przyszła Ula i powiedziała, że Krzyś się spóźnił trzy godziny. Jedyna droga z Warszawy była nieprzejezdna, bo mały fiat wpakował się pod betoniarkę. Idę przeprosić Tosię.

*

Dlaczego człowiek, czyli ja, jak się starzeje, to zapomina o tym, że sobie obiecywał pewnych rzeczy nigdy nie robić?

Tosia nawet nie była obrażona. Po prostu jest jej przykro.

A ja sobie przypomniałam, jak miałam dziewiętnaście lat. Pracowałam po maturze w szpitalu i byłam salową. O ile pamiętam, wtedy chciałam zostać lekarzem. W tych czasach można było w ten sposób zarobić punkty na medycynę – zgłosiłam się do szpitala, zostałam przyjęta, oddziałowa ostro mnie poinformowała, że o siódmej rano mam się zameldować, i tak zaczęła się moja kariera.

Pierwszego dnia wstałam o szóstej z największą niechęcią. O wpół do siódmej już byłam w tramwaju. Za dwadzieścia siódma na rogu dwóch dużych ulic warszawskich mój tramwaj uderzył w inny tramwaj. Drugi wagon się wykoleił. Ludzie krzyczeli, drzwi nie chciały się otworzyć, swąd palącej się instalacji elektrycznej powiększał panikę. W końcu wysypaliśmy się z wagonu. Nie miałam czasu się bać – bałam się tylko tego, że się spóźnię. Biegłam resztę drogi (trzy przystanki), ponieważ tramwaje nie jeździły.

Wpadłam na oddział spóźniona i oczywiście pierwszą osobą, którą spotkałam, była oddziałowa. Stała w korytarzu jak posąg. Gniewna i chmurna. Zaczęłam stękać o wypadku, popatrzyła na mnie z lekką niechęcią i kazała szorować łazienki.

Następnego dnia wstałam o piątej trzydzieści. O szóstej dziesięć wyszłam z domu – było ciemno, szaro i mgliście – i piechotą pomaszerowałam do szpitala. Wiedziałam, że nie mam szans na spóźnienie. Przy dużym skwerze na rogu Płockiej stali ludzie czekający na autobus. Autobus przyjechał, ludzie wsiedli, ostatnia kobieta już stawiała stopę na stopniu, kiedy podbiegł mężczyzna i wyrwał jej torebkę. Kobieta przewróciła się i zaczęła krzyczeć. Podbiegłam do niej, za uciekającym facetem rzucili się mężczyźni z autobusu, przyjechała milicja. Za piętnaście siódma milicjanci wyciągnęli notes, żeby mnie spisać jako świadka zajścia. O siódmej dwadzieścia osiem podjechali radiowozem pod bramę szpitala – bo ich ubłagałam.

Pierwszą osobą, na jaką się natknęłam, była oddziałowa. Zapytała mnie, dlaczego się spóźniłam. Wysłuchała moich tłumaczeń i kazała mi myć baseny. Następnego dnia wstałam o piątej trzydzieści. Wsiadłam w autobus, który podwoził mnie tylko kawałek. Padało. Wysiadłam z autobusu, musiałam tylko przejść przez Wolską i dojść do Kasprzaka już na piechotę. Stanęłam na krawężniku i czekałam na zielone światło. Obok mnie stanęli ludzie, którzy też spieszyli się do pracy. Nagle jeden z mężczyzn zrobił krok na jezdnię, upadł, zaczął drżeć, bił głową w asfalt, z ust leciała mu ślina. Drugi młody facet wciągnął go z powrotem na chodnik, krzyknął:

– Niech mi ktoś pomoże, to atak padaczki.

Ludzie się odsunęli, ja stałam jak wryta.

– Niech pani tak nie stoi – krzyczał młody człowiek – niech pani dzwoni po pogotowie.

Światło zrobiło się zielone, ludzie ruszyli przez ulicę, stałam jak głupia, a potem oczywiście odwróciłam się na pięcie i poszłam szukać telefonu.

W szpitalu byłam pięć po wpół do ósmej. Pierwszą osobą, którą spotkałam, była oddziałowa. Korytarz zawirował mi przed oczami. A ona krzyczała:

– A co się dzisiaj stało? Pożar? Trzęsienie ziemi?

Wtedy popatrzyłam na nią i powiedziałam:

– Przepraszam, dzisiaj zaspałam.

Rozjaśniła się. Uśmiechnęła. Wypogodziła.

– No widzisz? Na drugi raz nie kłam. No to zabieraj się do roboty.

Trudno w to uwierzyć, prawda? Wtedy sobie obiecałam, że zawsze będę wierzyć w to, co inni mówią. Nie wiem, dlaczego łatwiej mi nie wierzyć komuś niż założyć, że mówi prawdę. Nawet najbardziej nieprawdopobną. Zapomniałam o oddziałowej i oto efekt. Płacząca Tosia.

Zapomniałam, że jak przydarzały mi się w młodości niedorzeczne i niezwykłe rzeczy, to słyszałam: ,,Ty zawsze przesadzasz". Albo: ,,No dobra, a teraz powiedz, jak to było naprawdę". Albo: ,,Dzielę przez pół to, co mówisz". Albo: ,,No wiesz, ta twoja bujna wyobraźnia..." Albo: ,,Po co takie bzdury mówisz? Nie prościej powiedzieć prawdę?" No i teraz zafundowałam Tosi to samo.

Jak żywa stanęła mi przed oczami moja oddziałowa. Podparta pod boki, w białym fartuchu. W tle korytarz szpitalny pełen dostawek. Czuję zapach lizolu. Przez ten zapach dochodzą do mnie słowa: ,,Pożar? Trzęsienie ziemi?" I jej coraz bardziej jaśniejący uśmiech, kiedy kłamię, że zaspałam.

Tosiuniu, jestem głupia i mam zaniki pamięci. Czy mi wybaczysz?

Ja ci pokażę!

Właśnie wpadła Tosia ze szkoły. W swetrze z kołnierzem z futra. Nie ma takiego swetra. W zielonych spodniach. Wyszła w dżinsach. Niebieskich. Za to kurtka jej. I krzyknęła:
– Ja ci pokażę!
Aż podskoczyłam.
No, wszystko do człowieka wraca. Bardzo proszę. Po ostatnim doświadczeniu z fakultetami i jej spóźnieniem ze szkoły – teraz będę się miała z pyszna. W dodatku znowu była u ojca i na pewno kocha braciszka oraz Jolę bardziej niż mnie, a mnie będzie tylko pokazywać!
Ona w swoim pokoju, a ja piszę. Pracuję.

Droga Redakcjo,
mam straszne paznokcie, takie plamki, i w ogóle, i nie wiem, co z tym zrobić. Włosy też, one mnie się przetłuszczają...

Tylko spokojnie. Mam dużo pracy. Muszę odpowiadać na listy.

Droga Moniko,
paznokcie chronią opuszki palców przed działaniem szkodliwych czynników zewnętrznych. Przy długotrwałym kontakcie z wodą lub substancjami chemicznymi wysuszają się, łamią, tworzą się na nich bruzdy. Dlatego niektóre domowe prace, sprzątanie, przepierki, malowanie, powinno się wykonywać w rękawiczkach. Na paznokciach widać objawy wielu chorób skóry, np. łuszczycy, egzemy, liszaja płaskiego, grzybicy, drożdżycy. Niektóre choroby wiążą się z zaburzeniami hormonalnymi bądź troficznymi. Objawem tych zaburzeń może być złuszczanie się paznokci, odstawanie od brzegów, tworzenie się poprzecznych lub podłużnych bruzd.

Boże, jakie ja mam zaniedbane ręce. Mam podłużne bruzdy i nawet nie zwróciłam na nie uwagi. Nic dziwnego, że zwracają na mnie uwagę tylko gangsterzy.

Korzystnie na stan paznokci wpływa witamina A, lecytyna, cystyna, pantotenian wapnia, żelazo, fosfor, wapń, żelatyna. Poleca się spożywanie dziennie sześciu gramów żelatyny. Można jeść galaretki owocowe lub po prostu zjadać łyżeczkę żelatyny spożywczej. Preparatem wzmacniającym paznokcie (i włosy) jest ,,Gellavit", zawierający żelatynę i witaminę A. Czasem na paznokciach pojawiają się białe plamki, co potocznie nazywa się kwitnieniem paznokcia. Przypuszcza się, że przyczyną ich powstawania może być brak witamin lub żelaza w organizmie, a także odkładanie się pewnych minerałów...

Boże, muszę sobie kupić żelatynę w dużych ilościach. Najpewniej mam zaburzenia troficzne. Patrzę na te swoje ręce na klawiaturze i po prostu mdleję. Oraz na pewno brak mi żelaza i innych minerałów. Dlaczego mam takie paznokcie? Dlaczego moja córka krzyczy, że mi pokaże?

Nie denerwuję się. Nie dlatego, żebym nie była przygotowana na podobne oświadczenia, ale przypomniałam sobie siebie lat temu – będzie trochę... Pokazywanie komuś czegoś nie zawsze jest rzeczą ze wszech miar pożyteczną.

Ja też wybiegłam z domu pewnego dnia pełna uraz, krzycząc: ,,A właśnie że wam pokażę!" Ale Tosia wbiegła, więc może nie jest tak źle. Do tamtego momentu uchodziłam za dziewczynkę nieśmiałą, trochę zagubioną, za którą wszyscy wszystko załatwiali, bo przecież Judytka nie może, nie potrafi, nie da sobie rady. Nie muszę mówić, że taka postawa przynosiła mi same korzyści. Nie mogłam załatwić niczego, zrobić zakupów, zapłacić rachunków, posprzątać itd. Albo mi wszystko leciało z rąk, albo myliła mi się stówa z dziesiątką, albo wlewałam nie ten płyn do mycia naczyń, albo nastawiałam pralkę na gotowanie i do białej bielizny zaplątywała mi się czarna bawełniana skarpetka. Pranie się oczywiście wypierało – tyle tylko, że białe łachy miały odtąd szarawy odcień. Wymieniać można by w nieskończoność rzeczy, których nie robiłam, ku swojej uciesze i zmartwieniu rodziców.

Kiedy więc nareszcie wykrzyczałam, że im pokażę, liczyłam na to, że może w końcu nastąpi w moim życiu jakiś przełom, bo wszakże lepiej mieć rękę prawą i lewą niż dwie lewe. Ale się myliłam. Nie pokazałam zbyt wiele. Wróciłam wieczorem, zmarznięta, kaszląca. W związku z grypą nie poszłam na bal maturalny swojego chłopaka.

Ku mojemu bezbrzeżnemu zdumieniu coś się zmieniło w moich rodzicach. Rodzice nie biegali wokół biednej córki, która sama sobie pokazała, co może. Byłam rozczarowana, po raz pierwszy w życiu nie dość że musiałam się obsługiwać sama w chorobie, to nikt mi nie współczuł. Uznali, że skoro chciałam coś pokazać, to nie będą mi tego utrudniać. Moja mama wyszła z założenia, że skoro dziecię obraża się i wybiega z domu na parę godzin, nie mówiąc, gdzie się udaje, to może sobie samo zrobić pranko. Tata natomiast uznał, że nie ma powodu, żeby on był moim kierowcą przed godziną dziesiątą wieczorem, bo nóżki mam zdrowe. Chcąc nie chcąc, musiałam nagle porzucić rolę dziecka i zacząć być odrobinę odpowiedzialna za swój los.

Ciekawa jestem, co pokaże Tosia.

A moja koleżanka pokazała mężowi, że lepiej od niego posługuje się wiertarką, i efekt jest taki, że teraz ona lata z wiertarką pod sufitem i przybija karnisze, a on z fotela jej mówi: ,,Bardziej na prawo''. I tak miała dużo szczęścia. Nie polecałabym zgrabniej wbijać gwoździ niż facet, bo się ostaniemy z młotkiem w ręce.

Jest nadzieja, że znajdzie sobie wkrótce panią, która w ogóle nie wie, co to jest gwóźdź, i będzie mówić do naszego już byłego ukochanego: ,,Misiaczku, wypadło mi ze ściany takie metalowe, buuuu". Wiem coś o tym.

A już nie nasz Misiaczek, prężąc ochoczo pierś, zabierze się do męskich robót i pokaże jej, jaki z niego facet.

Więc co ta Tosia wymyśliła? Właśnie weszła i zapytała:

– No i jak wyglądam?

Ma nową fryzurę.

Włosy mi chciała pokazać.

*

Ach, ten list o białym koniu zezłościł mnie na facetów. Jakaś wspaniała dziewczyna ma wątpliwości, czy jest normalna, bo jej się oczy białym koniem wykłuwa. Napiszę jej od serca.

Czy dobrze panią rozumiem? Pani partner pamięć o urodzinach czy innych ważnych świętach uważa za zachcianki. Nie chce mówić o trwałym związku, bo jest jeszcze niegotowy. Nie podoba mi się to. Nie dlatego, że on twierdzi, iż chciałaby pani królewicza na białym koniu. Ale tak naprawdę co on ma do dania?

Już lepsze jest czekanie na tego białego konia niż zadowalanie się byle czym. Ma pani dopiero dwadzieścia osiem lat i tak smutne rokowania.

Dostałam w swoim życiu mnóstwo prezentów, które płynęły z serca. I warto na nie czekać. Do dzisiaj, kiedy zbliżają się święta Bożego Narodzenia... Ach, jak ja lubię grudzień. Lubię od dawna z paru powodów. Od grudnia codziennie jest bliżej do wiosny i lata, które uwielbiam. W grudniu dni są najkrótsze, a to znaczy, że za chwilę, dosłownie za moment, zaczną się wydłużać, jaśnieć, błyszczeć, cieplić itd. Ponadto grudzień składa się z przygotowań do świąt i ze świąt. Oprócz tego, że mnie osobiście zbliża do lata – jest miesiącem prezentów. I głównie dlatego, żeby nie wiem jak okropny, jest to miesiąc specjalny.

Jedna ze znajomych moich znajomych dostała kiedyś wymarzoną i drogą garsonkę od męża, sięgnęła do kieszeni, znalazła jakieś papiery, nakrzyczała się, że kupił używaną garsonkę i że jak śmiał, cham jeden, tak zrobić, skoro jest bogaty, i niech go diabli. On, człek spokojny, odczekał chwilę, a potem kazał jej, tej wrzeszczącej babie, przeczytać, co stoi w tych papierach, a tam jak byk, że to karta wozu, nowego, na jej nazwisko. Jako dodatek do garsonki.

Miałam męża, w życiu nie wpadł na taki pomysł.

Dostałam po raz pierwszy cenny prezent od babci. Byłam wtedy dziewczynką małą i łakomą. Teraz zostało łakomstwo, ale szczęśliwie jestem już spragniona innych rzeczy. Wtedy był to kurczak. Normalny kurczak, z dwoma nogami i przepysznym farszem w środku. Właśnie taki, na jakiego czasem zapraszała nas babcia, ale rodzinę miałam czteroosobową, a kurczak był pojedynczy. Kiedy miałam trzynaście lat, czasy były ciężkie dla małych łakomych dziewczynek, ponieważ panował socjalizm, taki ustrój polityczny, w którym kurczak jest rarytasem.

A ja marzyłam o dniu, kiedy cały ten kurczak będzie wyłącznie dla mnie, i mój brat, którego wszyscy bardziej kochali, nie będzie się ze mną kłócił o farsz lub nogę, bo kurczak będzie mój. Było to marzenie prozaiczne, które kiedyś wypowiedziałam przy stole i które spotkało się z potępieniem mojej rodziny.

Przyszedł grudzień, wieczerza wigilijna zjedzona, kolęda odśpiewana, świeczki na choince zapalone, rzucamy się na kolana w celu wygrzebania mnóstwa paczuszek spod choinki. I co się dzieje? Kurczak, przepiękny, upieczony, z chrupiącą skórką, z farszem, w pudełku po butach. Ach, jaka byłam szczęśliwa. Babcia przepraszająco rozłożyła ręce w kierunku moich rodziców, a ja wąchałam swojego kurczaka i czekałam do północy, żeby już minął 24 grudnia postny i żebym mogła go zjeść. Dostałam wtedy bardzo dużo innych prezentów. Jakich – nie pamiętam. Ale kurczaka pamiętam. Bo kurczak był prezentem serca.

Takich prezentów mam mnóstwo.

Kiedyś od jednego chłopaka, co się w nim kochałam szaleńczo a niewinnie, dostałam w prezencie milion dzwoneczków Małego Księcia. Tak napisał: „Daję Ci te dzwoneczki..." Mam je wszystkie, co do jednego, gdziekolwiek się przeprowadzam...

Kiedyś w prezencie imieninowym dostałam przyjazd ukochanego z bardzo daleka. O matko moja, żebyś ty wiedziała, jak ja się w nim kochałam! Albo Eksio!

A dwa lata temu na urodziny dostałam od Tosi Pegaza – o dwunastej w nocy wstała i mi dała. Piękny niebieski, wyrzeźbiony w drewnie konik, z zielonym siodłem, a przy tym siodle dwa zgrabnie umocowane skrzydełka, stoi do dziś na biurku. Przeżył przeprowadzkę, i bardzo proszę.

A jak byłam smutna, to Ula przyniosła mi swój koszyczek wiklinowy, żebym nie była smutna...

Albo Agnieszka, która zawsze wyłowi z moich marzeń to jedno, które może spełnić – i spełnia... I po to przeszukała cały GS, żeby znaleźć motykę, bo ja z nią na słońce... Nie dostała tej motyki, ale ja ją od niej dostałam...

I tak dalej.

Niestety nie mogę opisać wszystkich prezentów, które przechowuję w pamięci, i choć żaden z nich nie był kartą wozu, są dla mnie cenniejsze niż wszystkie samochody świata. Dziewczyno, czekaj na te najdroższe prezenty, które wymagają nie pieniędzy i nie sklepu – ale odrobiny uwagi i serca. Które z dwóch kawałków chleba zrobią urodzinowe grzanki, podane przez płot. Które z byle czego zrobią wyczekiwaną luksusową potrawę. Które każą przejechać dwa tysiące kilometrów, żeby być tego określonego dnia. Które są milionem dzwoneczków albo Pegazem, albo motyką.

Te najdroższe prezenty można dawać, nie mając grosza przy duszy, pod warunkiem wszakże, że się przez moment zastanowisz, co temu drugiemu, bliskiemu ci człowiekowi sprawi przyjemność i dzięki czemu poczuje się kochany. I nawet jeśli ktoś chce gwiazdki z nieba, możesz mu tę gwiazdkę dać.

A ja, czego i pani życzę, należę do kobiet, które marzą o białym koniu i o tym cholernym rycerzu. A dlaczego nie? Mam nadzieję, że to mi nigdy nie minie. Niech pani nie daje sobie odebrać ani marzeń, ani przyjemności. Mężczyzna, jeśli nie jest w stanie wykrzesać z siebie niczego, na czym pani zależy – niech sobie idzie.

Z poważaniem, w imieniu redakcji...

Wiozę listy szybko do redakcji, znowu jestem spóźniona.

*

O, jak mi przyjemnie napisał Niebieski!

Czyżby nasze listy się rozminęły? Nie poczekał na odpowiedź?

A zupełnie serio – przykro mi, że takie rozczarowanie dotknęło panią. Nie wiem, ile lat trwał pani związek, ale każde małżeństwo, któremu się nie udaje, zasługuje na współczucie. Konsekwencje dotykają w znacznie większym stopniu kobiety niż mężczyzn. Mam nadzieję, że spotka pani mężczyznę, który będzie pani wart.

Och, Niebieski, gdybyś tylko nie cytował Hirusia, tobym cię lubiła. Ale już się nie nabiorę na te pyszne, krągłe zdania o kobietach. Bo to jest ten sam lep, na który się złapałam. Ale miło do mnie napisałeś.

Cukier jest niezdrowy

Rozpadało się u nas na wsi. Lało się z nieba chyba ze dwa dni, a jak leje, to droga u nas, że nikt nie przeje-dzie. Siedziałam smętnie przy komputerze, bo kiedy pada, to mi smętnie, i zamiast pisać, latałam smętnie kursorem po ekranie, bo jakże tu odpowiadać na listy, jak pada i pada. Z tego wynika tylko błoto. A że błoto, to i tak nikt nie zajrzy, nic się nie zdarzy.

Dlatego przegapiłam pierwszy dzwonek. Na drugi poderwałam się z niedowierzaniem. Bo oto w tymże błocie stali przy bramie nieznajomi ludzie – kobieta i mężczyzna, dość młodzi i zupełnie obcy. Wyszłam, zarzuciwszy kurtkę na głowę. Zanim doszłam do furt-ki, przemokłam na wylot. A obcy wyglądali – pożal się Boże!

Okazało się, że tuż przed torami ich mały fiat zo-stał w kałuży, do której tubylcy nie wjeżdżają w czasie deszczu, ale obcy owszem. Dziura charakteryzuje się tym, że wyjechać z niej już nie można – oczywiście w czasie deszczu. Wpadłam w nią, jak przyjechałam po raz pierwszy na moją ziemię. Dziewczyna i chłopak byli przerażeni, przemoknięci do suchej nitki i wyglądali sympatycznie. Nie mieli telefonu komórkowego, czym również zaskarbili sobie moją sympatię. Chcieli tylko, żebym zadzwoniła po pomoc drogową.

Spojrzałam na dziewczynę – do kolan była ciemna od deszczu, od kolan w dół błotnisto-gliniana. Jej towarzysz był tylko mokry. Znaczy, ona próbowała wypychać ten samochód. Nie znoszę mężczyzn, którzy każą własnym kobietom wypychać z błota samochody. Sama kiedyś Eksiowi wypychałam. Ale kobiety z takimi mężczyznami u boku budzą głębokie współczucie, więc zaprosiłam ich na herbatę, zanim pomoc przyjedzie.

Przedstawiliśmy się. Weszli. Nastawiłam wodę, oni gdzieś zadzwonili. Weszłam z herbatą.

– Nie słodź tyle – powiedział obcy do towarzyszki.

Cofnęła rękę od cukierniczki i oblała się rumieńcem – a dawno nie widziałam kogoś, kto by się czerwienił. Gdybym miała wcześniej jakiekolwiek sympatyczne uczucia do młodego człowieka, to teraz ulotniłyby się bezpowrotnie.

– Cukier jest niezdrowy, pani też tak uważa?

Owszem, uważam, słodzę półtorej łyżeczki, żal mi się zrobiło tej ładnej dziewczyny, co chciała sobie troszkę osłodzić życie.

– Bo wie pani – kontynuował wyznawca niesłodzenia – kobiety łatwiej tyją, to niech Ania nie słodzi, bo utyje. Ale mówię jej to już tyle razy, a ona swoje.

Tutaj zresztą od razu powiedziałem: zakopiemy się. Ale ona się uparła, żeby jechać do ciotki. I zakopaliśmy się – stwierdził z satysfakcją. – Miałem rację.

Spojrzałam na jej mokre nogi, buty zostawili w przedpokoju.

– Na pewno pomoc drogowa w takiej dziurze przyjedzie nie wcześniej niż za godzinę – kontynuował wesoluchno młody człowiek. – To miło z pani strony, że możemy się napić herbaty. A sąsiadów nie ma? Mówiłem, w taką pogodę nie należy się ruszać z domu. Jak pojechaliśmy z Anią do Zakopanego, lubię góry i chciałem troszkę pochodzić, to już w pociągu wiedziałem, że to nie będzie udany wyjazd, człowiek ma czasami takie przeczucie. No i Ania skręciła sobie nogę od razu pierwszego dnia na Kalatówkach, mówiłem, szybciej, bo nam się coś przed zmrokiem nieprzyjemnego wydarzy, i proszę! – Triumf w jego głosie brzmiał niebezpiecznie. – Stało się. Cały pobyt na nic. Prawda, kochanie?

Kochanie przytaknęło głową i spuściło oczy.

– Tak to już jest, że życie człowiekowi kłody pod nogi. Nie jest łatwo. Teraz też pewno będziemy czekać nie wiadomo ile na tę pomoc i takie pieniądze będę musiał dać, że się nie pozbieram. Rżną człowieka na każdym kroku, prawda?

Nie czuję się orżnięta na każdym kroku (Hirek poszedł w niepamięć), ale pani Ania popatrzyła na mnie takim wzrokiem, że musiałam kiwnąć głową.

– I ten deszcz! Pada i pada. Pewno będzie padało cały tydzień – ucieszył się mężczyzna. – Mam nadzieję, że skończy się tylko na katarze. W zeszłym roku miałem takie zapalenie oskrzeli, myślałem, że z tego nigdy nie wyjdę – rozmarzył się.

Pani Ania kichnęła.

– No, ale my tu zawracamy pani głowę, a to czekanie potrwa, jak się znam na rzeczy. Nawet na pogotowie ludzie czekają i umierają w międzyczasie.

W ciągu następnych piętnastu minut dowiedziałam się, że koniec świata, przewidywany na lipiec, był prawdopodobnie źle obliczony i nastąpi tuż-tuż. Deszcz będzie padał przez najbliższe tygodnie, lato szybko minie, a zima na pewno będzie ciężka i da się nam we znaki. On dostanie zapalenia płuc, a samochód ma na pewno zalany gaźnik. Drogi są niemożliwe, jego Ania się roztyje, a on zawsze mówił, że dobrze nie będzie, i dzięki temu rozczarowanie nie ma do niego dostępu.

Uśmiech nie schodził mu z twarzy. Promieniał wiedzą, świadomością, znajomością świata, ludzi i praw przyrody. Pani Ania siedziała przy nim wymięta, z przestraszonymi oczyma, potakująca i bierna.

Kiedy pan przypominał sobie wszystkie wypadki, że ktoś komuś nie udzielił, nie przyjechał na czas, spóźnił się – przed bramą zawył klakson. Poderwałam się. Samochód pomocy drogowej niecierpliwił się na drodze.

– Już przyjechali – powiedziałam z ulgą.

– Tak szybko? – Na twarzy obcego zobaczyłam po raz pierwszy rozczarowanie.

Pani Ania uśmiechnęła się, a on zamilkł. Wyszli.

Stanęłam w oknie. Na zachodzie chmury zrobiły miejsce słońcu. Od wschodu powoli na niebo wypełzała wyblakła tęcza. Krople drżały w trawie, mokra ziemia odbijała ostatnie promienie. Złocista mgła podnosiła się i łagodnie kolebała.

Drogą przejechała najpierw pomoc drogowa, potem mały fiacik. Rozpryskiwał wodę wysoko, opadała z szumem. Na pewno będzie miał pecha, kogoś ochlapie, lub nie zamknie szyby i ktoś mu naleje wody do środka. Albo złapie go policja za przekraczanie szybkości. Albo złapie gumę, bo przecież życie jest wredne.

Przez moment pomyślałam sobie, że właśnie takie wredne życie to dla niego szczęście. Pracowicie planuje złe rzeczy, które się muszą przydarzyć. A nie daj Boże, jeśli obejdzie się bez przewidzianych trudności. Żadnej satysfakcji, żadnej radości, żadnego dreszczyku. Tylko nieprzyjemne rozczarowanie – takie jak ta pomoc drogowa, która za szybko przyjechała. Pocieszyłam się, że może przynajmniej zapłacił za tę usługę tak dużo, iż poczuł się orżnięty. Niech ma coś w końcu z tego życia.

A następnie siadłam do komputera i pomyślałam, że zawsze coś się może zdarzyć.

Odpisałam na dwanaście smutnych listów dwunastu skłopotanym osobom, w tym trzynastolatce, która chciałaby pożyczyć troszkę pieniędzy od naszej redakcji, żeby polecieć do Ameryki, bo dostała dwóję z matmy i nie wie, jak o tym powiedzieć w domu.

Chyba muszę skontaktować się ze szkołą Tosi. Ciekawe, jakie ma stopnie.

I pomyślałam, że ludzie mają to, co chcą. I już mi nie było żal pani Ani. Niech nie słodzi, skoro może utyć! I że już nigdy nie będę narzekać, że mi jest źle. Całe szczęście, że nie mam przy sobie mężczyzny.

*

Niebieskiego zostawiam sobie na koniec. Na deser.

Droga pani Judyto,
przekonała mnie pani, pani kurczak wigilijny jest rewelacyjny. To miłe. Obawiam się, że nie dorównam pomysłom pani przyjaciół, ale chętnie bym został jednym z nich, zwłaszcza że jak się dowiedziałem z pani listu, kocha pani zupełnie innego faceta – który przyjechał do pani z daleka. A może to tylko licentia poetica...

Jezus Maria, co się dzieje? Jaki kurczak?

Zaglądam do komputera – o Chryste – połączyło mi dwa pliki, nie wyszłam ze swojego, tak byłam tą Tosią wzburzona, i wszystkie moje bazgroły połączyły się w jeden list, o matko! Mój list do pani od białego konia połączył się z moimi wspominkami, a wszystko to poszło do Niebieskiego! A do zawiedzionej kobiety od prezentów – poszły rybiki!

Nie mam po co żyć. Jestem skompromitowana jako profesjonalistka, jako kobieta, jako matka. Ilu statystycznym kobietom zdarzają się takie pomyłki? No ilu, pytam?

Nic nie mam do stracenia. Drukuję jeszcze raz list do tamtej kobiety, dopisuję przeprosiny – jadę do redakcji.

Naczelny rozjaśnia się na mój widok. Ani słowa o łechtaczce i seksie. Proponuje mi pisanie felietonów – pogodnych, miłych, przyjaznych ludziom. W stylu listów. Listy przejmie kto inny. Bo „pani Judyto, może dla szerszego grona będzie pani pisać, a o rybikach przy okazji".

I uśmiecha się! Po czym dodaje:

– I do porzucanych mężczyzn też przy okazji.

Nogi się pode mną uginają. To znaczy, że śledził całą korespondencję! Czy naczelny nie ma nic innego do roboty? Nie musi pilnować pisma, tylko zajmuje się listami? Sprawdza mnie? Chce mnie wylać? To dlaczego proponuje mi stałą rubrykę?

– Gdyby pani wpadło do głowy coś o dawaniu, braniu, o tym, że ludzie nadmierną wagę przywiązują do pieniędzy, a przecież są prezenty, które płyną z serca, bardzo chętnie wydrukujemy na początek.

Palą mnie policzki. Spuszczam głowę. Czytał!

– Poza tym chciałbym, żeby pani pojechała na reportaż. Proszę się skontaktować z kierowniczką działu. Ona wszystko pani powie.

Hura!

*

Na ostatni list Niebieskiego odpisuję. Trudno. Nie jestem małą dziewczynką, która boi się odpowiedzialności. Nie pozwolę sobie na jakieś nierozsądne dziecięctwo, jestem dojrzałą, dorosłą kobietą. Muszę o tym pamiętać. Trzeba ponosić konsekwencje własnej indolencji i niedbalstwa.

Szanowny Panie,
w wyniku pomyłki doszedł do pana tekst, który nie był przeznaczony dla pana. Bardzo przepraszam, proszę mi wybaczyć, to się już nigdy więcej nie powtórzy, tym bardziej że zrezygnowano ze mnie jako z osoby, która odpowiada na listy.
Dziękuję za propozycję przyjaźni. W przeciwieństwie do moich niezbyt udanych kontaktów z płcią przeciwną na innym gruncie, na brak przyjaciół na szczęście nie mogę narzekać.
Z poważaniem, w imieniu redakcji...

Następny mężczyzna, przed którym się skompromitowałam.

Nie chcę pisać reportażu!

Otworzyłam kopertę od kierowniczki działu. Pełna jakichś idiotycznych pism urzędowych. Nie chcę pisać żadnego reportażu!

*

Nie mogłam spać. Siedziałam do wpół do drugiej nad tymi materiałami. Nie mogę zrozumieć, że na świecie dzieją się takie rzeczy! Ludzie mają chore, śmiertelnie chore dziecko, umierające dziecko, którym opiekują się non stop – a jakiś palant gminny próbuje ich wyrzucić z mieszkania, które zajęli jako pustostan sześć lat temu! Mieszkanko jest jednopokojowe, i to mnie tak wkurzyło, że nie obchodzi mnie dziura w nosie Tosi ani koty.

Rano wkładam garsonkę, podpinam włosy, maluję oczy, pakuję do torby całą korespondecję między rodzicami dziecka i urzędasem i jadę do Oli pożyczyć dyktafon. Jestem zielona ze złości. Ola nie wierzy, że to ja! Żadnych rozmazanych oczu, żadnego przewracania się na obcasach. Następnie jadę z dyktafonem do Urzędu Gminy.

Czekam przed sekretariatem palanta przeszło dwie godziny. Sekretarka wychodzi do mnie co jakiś czas i mówi, że palant jest na zebraniu. Poczekam. Że palant być może nie wróci z zebrania. Poczekam. Że palant wyjedzie być może służbowo i żebym się zapisała. Poczekam. I w jakiej sprawie?

Uśmiecham się.

Coś za często wychodzi do mnie sekretarka.

Po dwóch godzinach przesiadam się. Kiedy sekretarka otwiera drzwi – nie widzi mnie. Za chwilę wypada palant. Prosto na mnie. Na mój dyktafonik. Nie ma czasu, niestety, żeby ze mną rozmawiać, ale chętnie pojutrze.

*

Pojutrze okazuje się, że musiał wyjechać i że sprawę mogę wyjaśnić na niższym szczeblu. Wyjaśniam. Wszystko jest w porządku. Nieprawnie zajęli, no cóż, gmina jest pełna współczucia dla nieuleczalnej choroby dziecka, ale mieszkań nie ma. Gdyby były, w tej chwili dostaliby mieszkanie. Naprawdę.

Złość mija. Na jej miejsce przychodzi bardzo twórcza furia.

*

Nie dam się załatwić! Przez pięć dni zbieram materiały. Wiem wszystko o gminie, mieszkaniach, pracownikach, urzędnikach, kontrahentach urzędników i wiem, ile kosztuje kawa w bufecie Urzędu Miasta.

Tosia karmi koty i nawet udało jej się pozmywać parę razy.

W tej dzielnicy są cztery przepiękne stumetrowe pustostany – o tylu się dowiedziałam dzięki kolegom z gazet codziennych. Czekają nie wiadomo na co. Normalni ludzie o nich nie wiedzą. W gestii gminy.

Dzwonię grzecznie do palanta, którego nie ma, i grzecznie pytam sekretarkę o te dwa pustostany. W ciągu trzech minut oddzwania, czy mogę porozmawiać z palantem. Jest uprzedzająco miły i pyta, czy nie można by polubownie załatwić całej sprawy. Po co taki rozgłos.

Można, moim zdaniem można. Na przykład jeśli im dadzą przydział na dwupokojowe mieszkanie, to dlaczego ja mam nadawać rozgłos. Palant szybko kończy rozmowę.

Dzięki koleżance przyjaciela Grześka, z którym on był internowany, dowiaduję się, że w zeszłym roku gmina przydzieliła dwa mieszkania. Jedno bezdomnej, bardzo duże i ładne – do tej bezdomnej od razu wprowadził się kierownik wydziału gminy, który dwa lata wcześniej odszedł do bezdomnej od żony i musieli wynajmować domek, oraz drugie, też niebrzydkie, osiemdziesięciometrowe, w którym teraz mieszka żona syna jakiegoś naczelnika o innym nazwisku niż mąż.

Dzwonię do palanta. Nie ma go. Grzecznie pytam sekretarkę o bezdomną cudzołożnicę i o synową. Ledwie odkładam słuchawkę – telefon dzwoni. Palant uprzejmie zaprasza mnie na lunch, żebyśmy sobie wyjaśnili pewne sprawy, i on z całego serca pragnie pójść na rękę i tej rodzinie, i tak miłej osobie jak ja. Bo jeśli ci ludzie rzeczywiście mają tak trudną sytuację, gdyby on wiedział, nigdy by nie dopuścił itd.

Wierzę.

*

O czwartej rano kończę tekst o małym mieszkanku. O gminie, naczelniku, kierownikach, synowej, metrażach i pieniądzach. Naczelny dzwoni dwa razy, zanim docieram z powrotem do domu.

Tekst niestety nie nadaje się do naszego miesięcznika. Wiedziałam.

*

Przekazał do największej gazety codziennej i puszczą go jutro. Nie wiedziałam!

*

Nie chcę narzekać, ale mi beznadziejnie. Wiosna się budzi, a nawet rozkwita i się puszy po tych brzozach, a mnie jest smutno. I boli mnie szyja. Na pewno mam zwyrodniałe kręgi.

Najpierw zwyrodniali mężczyźni, potem zwyrodniałe kręgi. Nic mi się nie chce. Nawet Niebieski nie będzie do mnie pisał. Nikomu nie jestem potrzebna.

*

Właśnie zadzwoniła Ola.

Olę poznałam jakiś czas temu. Jeszcze w zimie zaprosiłam Agnieszkę i Grzesia na ziemniaki z czosnkiem zapiekane z bazylią i żółtym serem. Wszystko, co dobre, jest albo tuczące, albo niemoralne – jak powiedziała Marilyn Monroe, więc na tę niezdrową potrawę ich zaprosiłam, a oni zadzwonili pół godziny przed umówionym spotkaniem, pytając, czy mogą wziąć swoich znajomych, którzy właśnie do nich wpadli. Ano mogą. Mam wystarczającą liczbę sztućców, a każde danie da się podzielić na niezliczoną ilość porcji. Co prawda coraz mniejszych, ale jakie to ma w końcu znaczenie.

Na widok nieznanej mi kobiety jęknęłam z zachwytu. Nie dość, że była śliczna, to jeszcze na ramionach miała tak oszałamiająco piękną chustkę, że natychmiast dałam wyraz swoim zachwytom i nad nią, i nad chustką. Ona okazała się znakomitym kompanem, chustka była z Florencji, jej mąż przygrywał nam na gitarze, wieczór był czarujący, ziemniaków było za mało. Zadzierzgnięta wtedy znajomość rozwijała się później, bo przypadli mi do serca.

A teraz właśnie wydają party ogrodowe. I koniecznie mam przyjechać. Tłumaczę Oli, że weszło mi coś w szyję. Niemcy mówią, że to czarownica siadła na karku. Nie wiem, dlaczego mnie akurat sobie upatrzyła. Mąż Oli jest Niemcem. Mogła sobie upatrzyć Olę.

*

Przyjęcie było wspaniałe – gdyby nie ból, bawiłabym się znakomicie. Choć nie powiem, współczujące pytania o zdrowie odrobinę poprawiały mi samopoczucie. Ale nic nie było w stanie ukoić mojej obolałej duszy, bo rozczulanie się nad sobą świetnie mi robiło.

– Mogę coś dla ciebie zrobić? – pytała Ola. – Mamy świetnego masażystę. Co cię ucieszy? Nigdy taka nie jesteś – mówiła, siadając przy mnie. – To od ciebie zależy, jak się będziesz czuła.

To zdanie sobie dobrze zapamiętałam, bo stosuję je przy każdej nadarzającej się okazji od lat. Szczególnie wobec beznadziejnej postawy, jaką właśnie prezentowałam. Brrr. Nic do mnie nie docierało.

Kiedy zbierałam się do domu, Ola powiedziała:

– Poczekaj chwilkę – ja z okazji swoich urodzin mam też dla ciebie prezent.

Krzyknęła do męża, żeby mnie nie wypuszczał, i gdzieś pobiegła. Usłyszałam tupot na schodach, potem krzyk:

– Szatsu, gdzie są nożyczki?

Stałam w drzwiach – nożyczki to ja mam – ale oczywiście udam, że się ucieszę, jak dostanę drugą parę. Taki niekonwencjonalny prezent też mnie ucieszy. Może będzie chciała odczynić jakieś wariactwa, odciąć mnie od mojej beznadziejności albo coś w tym stylu?

Szatsu szukał nożyczek, ich pies wył, do ich psa podłączały się okoliczne psy łańcuchowe, goście pili wódkę, magnetofon wyrykiwał w noc pogodną, że do tanga trzeba dwojga, a ja stałam samotnie w drzwiach i czekałam na nożyczki.

I to tak trwało. Byłam smutna, byłam samotna, byłam cierpiąca. I kiedy już chciałam nie dotrzymać słowa i umknąć w noc czarną i głośną, Ola zbiegła po schodach, a w jej ręku powiewała chustka. A właściwie nie chustka – pół chustki.

Uśmiechnęła się, tak jakby nie mnie zobaczyła.

– Masz, to dla ciebie, i tak była za duża, to przecięłam na pół, będziemy się obie cieszyć.

Zamurowało mnie. Stałam jak wryta w tych drzwiach. Przepiękna, kwadratowa, duża chustka z Florencji była trójkątem z poszarpanym lekko brzegiem – ale nie straciła swojej niezwykłej urody.

Ola z połową chustki uśmiechała się promiennie:

– Tylko trzeba podszyć, no! – I założyła mi ją na obolałą szyję.

Myślałam, że się rozpłaczę.

Wróciłam do domu. Połowa chustki leżała jak ulał. Rano obudziłam się, i pierwsza rzecz, jaką zobaczyłam, to była ta połowa. Pomyślałam sobie, że tylko ode mnie zależy, jak się czuję. Że może ja nie byłabym w stanie przeciąć swojej ulubionej chustki na pół. Że skoro ktoś to zrobił dla mnie i pamiętał przez te wszystkie miesiące mój zachwyt, to może świat nie jest taki obrzydliwy i smutny, a moja szyja da się jednak leczyć. Jeżeli jeszcze raz stanę się taką marudną, beznadziejną osobą, to palnę sobie w łeb.

Powiesiłam połowę chustki nad łóżkiem. To będzie taki mój znak świata. Bo świat, w którym dzieją się takie rzeczy, nie jest do końca ani smutny, ani szary, ani zły.

*

Jest fantastyczny. Po moim reportażu poleciał ze stołka naczelnik gminy, to chyba pierwszy wypadek w tym kraju, prezydent miasta napisał do redakcji specjalne pismo, w którym zaznacza itd. Nasza gazeta wydrukowała przydział mieszkania dla tych ludzi. Trzy pokoje z zasobów innej gminy, poruszonej nieuczciwością tamtej gminy.

Dzwonią do mnie z innych redakcji i też mają pomysły. A ja się cieszę, że mieszkam na wsi, nie chcę interweniować w żadnej sprawie. Chyba że...

*

Nie mogę uwierzyć własnym oczom. Sekretarz redakcji przesłała mi list. Przyszedł do redakcji na moje nazwisko. Nie na redakcję. Z dużym napisem: „Prywatny". Od Niebieskiego. Teraz wszyscy myślą, że so-

bie z nim romansuję. Tak to jest! Dasz palec, odgryzą
ci rękę! Normalny list w skrzynce.

Pani Judyto,
nie chciałem pani obrazić. Cieszę się z tej pomyłki,
która pozwoliła mi panią poznać z innej strony. Rozu-
miem, że to dla pani musi być dość niewygodne, skoro
niezamierzone, ale przecież nie stało się nic takiego, co
by panią w moich oczach skompromitowało...

Tu przesadzasz, Niebieski, co ty myślisz, że mnie
obchodzą twoje myśli, nawet na mój temat? Nie pusz
się tak, Niebieski. Nie bądź taki wspaniałomyślny i taki wyrafinowanie perfidny. Już ja wiem, co myślisz!

...zresztą sądzę, że niewiele rzeczy mogłoby panią
skompromitować.

Widać, że mnie nie znasz. A gdybyś ty wiedział,
Niebieski, że prawie się zakochałam w przystojnym
żonatym członku gangu? I że źle życzyłam Joli?
Której teraz posyłam siedem błogosławieństw?

Napisała do mnie pani uczciwy list, a ja nie całkiem
jestem w porządku. Chciałbym to pani wyjaśnić osobiś-
cie. Czy to możliwe, żebyśmy się spotkali?
Podaję mój e-mail i będę czekał na odpowiedź.

W żadnym, ale w absolutnie żadnym razie. Nie
będę się umawiać z nieznajomymi. W ogóle nie będę
się spotkać z mężczyznami. Nie i nie. Oprócz, oczywiście, przyjaciół. Chyba bym się spaliła ze wstydu.

Oprócz przyjaciół, którzy mnie lubią. I wobec których się nie skompromitowałam.

Ciekawe, dlaczego Niebieski nie jest w porządku? Jak każdy facet, musiał coś nabreszyć. Ale ja nie chcę już słuchać żadnych rzewnych historii.

PS Proszę się zastanowić, zanim pani odrzuci moją propozycję. Ze wstydu czy skrępowania. To nie są najlepsi doradcy.

Wstyd i skrępowanie! Tu przesadziłeś zdrowo, Niebieski! Ja ani się nie wstydzę, ani nie jestem skrępowana.

*

O trzeciej zdołałam się połączyć z Telekomunikacją Polską S.A. w celu wysłania e-maila. W nocy, rzecz jasna. Żebym ja przez jednego faceta nie spała jak ludzie!

Napisałam, że bardzo mi przykro, ale nie spotkam się z nim. I żeby przestał do mnie pisać. Może mogłabym go polubić. Gdyby nie kłamał. Albo gdyby nie był mężczyzną.

*

Dzwonił Hieronim K. Domniemany. Też mi chce wszystko wyjaśnić. Zaraza jaka, czy co?

*

Jaki piękny dzień dzisiaj! Idzie lato. Śpię pod samą kołdrą.

Wpadła Mańka, schudnięta i dalej zakochana. Zapytała, czy jestem z kimś. Zrezygnowana oświadczyłam, że chyba sobie kupię wibrator.

– A co, jeszcze nie masz? – powiedziała Mańka i wyjęła komórkę z kieszeni, bo dzwonił narzeczony.

Potem zadzwoniła Justyna, żeby się pożegnać przed wyjazdem do Londynu. Do tego Angola – który, jak się okazuje, pisze i dzwoni oraz był trzy tygodnie temu i teraz ona jedzie. Do niego! Cały świat jest przeciwko mnie.

Potem zadzwoniła stara znajoma, że wpadnie. Koniecznie. Że musi. Że nie chce jej się żyć, że wszystko na nic. On odchodzi. Spędziłam przy telefonie półtorej godziny, starając się podnieść ją na duchu, ale sama wiem, że w takich sytuacjach świat się kończy i nie chce się żyć. Oraz że wszystko na nic.

A to było naprawdę udane małżeństwo! Ona pracowita i uzależniona od niego, co mężczyznom się bardzo podoba – nawet pofarbowała włosy na blond, bo on lubił blondynki! Wiadomość o rozwodzie spadła na nią nagle i niespodziewanie, jeszcze w południe wspólny obiad u jego rodziców, jeszcze po obiedzie spacer z rodzicami, jeszcze po spacerze wspólna herbatka, a po herbatce oświadczył: rozwodzimy się. Krótko i zwięźle. Że ją szanuje i ma wiele wspaniałych uczuć. Ale już jej nie kocha. Zastanawiam się, czy myśmy przypadkiem nie miały wspólnego męża.

Mam czasami wrażenie, że każda kobieta na świecie przynajmniej raz w życiu usłyszała, że mężczyzna bardzo ją szanuje oraz darzy ciepłymi uczuciami, ale niestety jej nie kocha. Wtedy rzeczywiście z tym światem dzieje się coś dziwnego. Taki świat przewraca się do góry nogami. Drzewa szarzeją. Powietrze robi się nie do zniesienia. Kolory blakną. I nie ma po co żyć. I nie wiadomo, co robić.

Tak też było z moją starą znajomą, dla której on stał się całym światem. To jest bardzo przyjemny obraz świata, dopóki ten świat, czyli on, darzy ją miłością szczególną, wyjątkową, i *vice versa*. Ale zapomniała o tym, że jeśli mężczyzna staje się światem, to oczywiście najpierw jego ego – rzecz duża i ciężka – będzie mile połechtane, że nie istnieje nic oprócz niego. Ego mile połechtane rośnie w siłę i się rozprzestrzenia. Czasem tak bardzo, że na drugą osobę już nie ma miejsca. A przecież ona nawet włosy, nawet pracę, nawet znajomych... I jak on mógł?

Współczułam jej bardzo. On był wstrętnym gnomem, który wykorzystał i porzucił. Egoistą do entej oraz psychopatą niezdolnym do wyższych uczuć. Łamaczem danego słowa. Zamrażarą – nieczułą i podłą. Pocieszyłam ją, jak mogłam. Że wszyscy oni są tacy sami. Że każdy inny też by to zrobił. Chyba mi się udało, bo jakoś tak szybko skończyła rozmowę. Nie powiedziała, kiedy wpadnie. Ciekawe, że nawet nie zapytała, co u mnie słychać.

Nikt nie będzie czekał!

Pojechałam z Ulą do projektanta ogrodów. Zamiast zapłacić za telefon, wpłaciłam zaliczkę na roślinki – zamówiłam śliczną trzymetrową wierzbę płaczącą, malutką wierzbę powyginaną i klon złotolistny, i dużo innych dużych roślin. Pan przyjedzie i mi to wkopie. Trawa pięknie wzeszła, a bzy zakwitną lada moment. Od teraz będę zajmować się życiem zgodnym z naturą. Żadnych mężczyzn. Będę się cieszyć każdą chwilą.

Zaczynam po prostu zupełnie nowe życie.

*

Nie mogę w to uwierzyć. Nie mogę uwierzyć, że znowu mam dwa kotki. Nie mogę uwierzyć, że się na to zgodziłam.

Siedzę przy drzwiach na taras i piszę zamówiony tekst, a tu obok Borysa, jak gdyby nigdy nic, przechodzi mały, czarny, zupełnie nieznajomy kotek. Wskakuje mi na klawiaturę, dopisuje: jjhjhjhjhjhjhjhjhhhhj-jtaepr i wdrapuje mi się na ramię. Borys zgłupiał i ja też. Przytulił się ufnie do mojej szyi, już nieobolałej, i tak został. Nakarmiłam go, wypuściłam do ogródka, a on wskoczył na parapet i tak został.

Przyszła Tosia. Myślałam, że oszaleje z radości. Mówię:

– Zobacz, jaki śliczny kotek. Wybrał nas.

A Tosia:

– Czy ty w ogóle zdajesz sobie sprawę z tego, co to znaczą dwa koty? Nie pamiętasz, jak było z Zarazem? Będzie robił kupę i ja tego na pewno nie będę sprzątać. Tylko idioci mają dwa koty! Nie spodziewałam się tego po tobie.

Poszła do swojego pokoju. A potem przyszła do mnie i powiedziała:

– Może zostać, ale ja chcę w piątek po szkole jechać do Krakowa. Na dwa dni. Jestem umówiona z Irkiem.

Jeszcze tego brakowało!

Ale przecież nie wyrzucę małego czarnego kotka na bruk, tylko dlatego, że mam córkę?

*

Ach, jaki maj! Jakie bzy! U mnie koło kubła na śmieci też sobie puścił kwiaty. Ale nawet spokojnie nie mogę cieszyć się wiosną, bo Tosia absolutnie musi jechać do Krakowa. Nie wiem, co robić. Nie puszczę, to gotowa uciec z domu. Puszczę, to się rozczaruje.

Też kiedyś pojechałam. Tylko że miałam dziewiętnaście lat. Ale prawdę powiedziawszy, infantylna byłam jak dzisiejsza piętnastolatka. A co ja gadam. Zapomniałam, że średnia wieku inicjacji seksualnej jest koło piętnastu. Więc na dzisiejsze lata to miałam z dziewięć.

Pojechałam na sylwestra. Zaprosił mnie ukochany. Zadzwonił 28 grudnia i powiedział:

– Jak chcesz ze mną witać Nowy Rok, to przyjedź. Będę na ciebie czekał na dworcu.

Wtedy wydawało mi się takie zaproszenie szczytem taktu, dobrego wychowania, głębokiego uczucia i mnóstwa innych rzeczy bez znaczenia.

Jak na skrzydłach pobiegłam do rodziców i oświadczyłam, że właśnie za dwa dni wsiadam w pociąg, jadę te czterysta osiemdziesiąt trzy kilometry, bo on mnie zaprosił i będzie na mnie czekał na stacji. Ojciec spojrzał na mnie i zapytał:

– Pojedziesz?

– Oczywiście! – krzyknęłam radośnie, mama spojrzała ze współczuciem, troszkę zmartwiała, i zapytała uprzejmie, czy zaproszenie trzy dni przed sylwestrem na pewno płynie z potrzeby spędzenia tego wieczoru ze mną, i może on by przyjechał, skoro tak mu zależy, i dlaczego jestem na kiwnięcie palcem. A ojciec powiedział, że gdyby był w mojej sytuacji, to radziłby mi...

Ale w ogóle ich nie słuchałam.

Kiedy wychodziłam 30 grudnia na pociąg, rodzice pożegnali mnie serdecznie, ojciec powiedział, że gdybym go poprosiła o radę itd., mama pokiwała smutno głową i powiedziała: „W końcu jesteś dorosła" (dziewiętnastoletnia dziewczynka dorosła!), a ja w pożyczonych od kuzynki spodniach (żeby wyglądać szczupło – za ciasnych) i w pożyczonych ekstrabutach patrzyłam na nich z pewnym politowaniem, że porywy serca ich nie dotyczą.

Wysiadłam wieczorem na małej stacyjce przed Krynicą. Było ciemno, wspaniały śnieg, mróz, dwie latarnie, i to wszystko. Ukochanego ani śladu. Może złamał nogę na nartach? – pocieszałam się trochę. Może miał wypadek? Czekałam dwie godziny, a potem wsiadłam w ten sam pociąg, który wracał do Warszawy. W domu byłam rano.

Pokornie czekałam na ulubione słowa mojego ojca: „Uprzedzałem cię!" Oraz na ulubione słowa mojej mamy: „A nie mówiłam?"

Tym razem powitali mnie tak, jakbym w ogóle nie wyjeżdżała.

– Jak dobrze, że jesteś, córeczko – powiedziała moja matka.

Prawie upadłam z wrażenia.

No to dobrze, moja Tosia niech jedzie, a ja zacznę ćwiczyć: „O, dobrze, że jesteś, córeczko". „O, dobrze, że jesteś, córeczko". Na pewno ją wystawi do wiatru. Nie jedzie się do chłopaka. Niech on przyjedzie. Ona się w ogóle nie szanuje. „O, dobrze, że jesteś, córeczko". Dlaczego nie mam syna, który by nie czekał na

peronie na jakąś dziewczynę, która do niego przyjeżdża? I wtedy bym się nie musiała martwić?

*

Czarny kotek nazywa się Potem. Tosia pojechała
jednak do Krakowa. ,,O, dobrze, że jesteś, córeczko".
Dwie godziny temu. Ma jeszcze godzinę do najwięk-
szego rozczarowania w swoim życiu.

Mamy teraz taki zestaw u nas na wsi: Ratunek Uli,
biały, śliczny, malutki, Ojej, który nie chodzi, tylko
kroczy, nie miauczy, tylko wydaje odgłosy, nie biegnie, tylko przyspiesza kroku, nie skacze, tylko przenosi się wyżej, nie je, tylko spożywa, nie pije, tylko gasi
pragnienie – tak jest dostojny. Zaraz jest srebrny i ma
kitki w uszach, na pewno jego babcia puściła się z ry-
siem, Potem jest malutki, czarniutki i wyrośnie z niego
prawdziwy kot czarownicy.

Dlaczego Tosia nie przyjechała z tego Krakowa
natychmiast? Bo jeszcze nie dojechała. Nie będę o tym
myśleć. Nie będę toksycznym rodzicem. Nie będę toksycznym rodzicem. Nie będę toksycznym rodzicem.
Ale jestem.

Zadzwoniła moja mama, żeby zapytać, czy ja na
głowę upadłam, żeby puszczać dziecko samo w taką
podróż, do nieznanego domu. Powiedziałam, że dom
nie jest nieznany, rozmawiałam z mamą tego chłopca
i jest OK.

Zadzwonił ojciec i zapytał, czy ja na głowę upadłam, bo zadzwoniła do niego mama i powiedziała...

Zadzwoniła Tosia, że już jest w Krakowie i teraz idą z jego rodzicami do Piwnicy pod Baranami, i że zadzwoni jutro.

Wiedziałam, że będzie na nią czekał!

Białego konia widzieć

Ach, poznaję, że lato jest tuż-tuż!

Poznaję to po jednej dziewczynie, która w czarnej czapeczce jeździ na białym koniu koło naszych domów. Ma szpicrutkę i psa, który koło niej biegnie. Borys dostaje szału na widok konia. Koń jest najpewniej z klubu jeździeckiego trzy kilometry od nas. Widzieć białego konia to znak. Biały koń jest bardzo pożytecznym zwierzęciem, bo gra tę samą rolę co księżyc w pełni. Mianowicie spełnia marzenia. Nie powiem jakie.

*

Rozbuchało się u nas. Przekwitły gladiole, ale cały czas kwitnie cierpiętnik, choć Ula mówi, że to niecierpek. Nie chciałabym się nazywać niecierpek. Taka nazwa sugeruje raczej niechęć do cierpka, więc u Uli rosną niecierpki, u mnie cierpiętniki – oba gatunki wyglądają tak samo.

Dostałam nagrodę za reportaż. Zadzwonili z redakcji, kiedy mają przyjechać na oblewanie. W sobotę, bez naczelnego, który jak sądzę, będzie się raczej przyglądał rozwojowi pism męskich. Tosia mnie z wrażenia pocałowała.

Mąż Uli nataskał gałęzi, wczoraj przygotował badyle do nabijania kiełbas, ja muszę pofarbować włosy, bez balejażu, kupić wino białe wytrawne, bo czerwone do ogniska mojego się nie nadaje kolorystycznie, napisać artykuł o nieseksualnych powodach uprawiania seksu i już mogę odpoczywać.

*

Włosów nie zdążyłam pofarbować. Szczęśliwie problem ubrania sam się rozwiązał, bo przecież wszyscy będą w dżinsach i swetrach, więc ja też będę w dżinsach i swetrze, bez kompleksów.

Sześć kilo kiełbasy w lodówce – byłam na zakupach, znowu ręce mi urosły do ziemi, bo kupiłam też wszystko na następny tydzień. Kiedy będę miała samochód, żeby nie cierpieć z powodu mieszkania na wsi? Zrobiłam przepyszny serek z różnościami na jutrzejsze śniadanie oraz piersi kurze z ananasem na obiad, bo przyjedzie mama, a potem tata. W roku są pięćdziesiąt dwie niedziele, ale oni – choć po rozwodzie – wybierają ten sam dzień na odwiedziny u mnie. Statystyko, jesteś wielka.

Tosia idzie spać do Uli.

*

Zadzwoniła moja mama, żeby powiedzieć, że skoro przyjedzie ojciec, to może chcę z nim sobie porozmawiać, i że przyjedzie w następnym tygodniu.

Następnie zadzwonił mój ojciec, żeby mi powiedzieć, że przyjedzie w przyszłym tygodniu, to sobie pogadam spokojnie z mamą, i że on nie będzie przeszkadzał.

Po co ja robiłam te piersi kurze z ananasem. Nie rozumiem – to już razem nie mogą przyjechać, choć są osobno, do wspólnej córki, czyli do mnie?

*

Ach, cóż to był za wieczór! Po pierwsze, Borys, wspólnie z Ojejem i Zarazem, dobrali się do kiełbasy, którą postawiłam w dużej misce przy ognisku i zapomniałam nakryć. Po drugie, dwie dziewczyny przyjechały w szpetnie wyglądających cudownych krótkich spódniczkach i wyglądały zabójczo, szczególnie przy mnie. Potem wylazły komary i już nie miałam kompleksów. Pożyczyłam jednej i drugiej stare spodnie od dresu, w których wyglądały koszmarnie. Bosko. Po trzecie, Borys, uciekając z kiełbasą, wtrącił jedną butelkę wina do ognia, ale ją stamtąd wyciągnął Adam, bardzo sympatyczny, jeśli w ogóle można użyć takiego słowa wobec mężczyzny, socjolog, który współpracuje z naszą redakcją i też przyjechał. Wobec tego piliśmy białe wino prawie grzane, bo nikomu nie chciało się iść do lodówki.

Po czwarte, zostały zjedzone wszystkie moje zakupy na następny tydzień, bo kiełbasy było za mało, a przed świtem okazało się, że wszyscy teraz by coś przekąsili. Na pierwszy ogień poszły piersi kurze z ananasem, potem serek na śniadanie, potem ser żółty, papryka konserwowa, groszek w puszce. Dlaczego ludzie muszą tyle jeść?

Po piąte, miałam poważne przejścia z zołzowatą, która też przyjechała. Nikt jej nie lubi, głównie dlatego, że ona nikogo nie lubi. Przyjechała z narzeczonym, nowym zupełnie. Z wakacji na Santorini dwa lata temu przywiozła sobie żonatego przyjaciela – i było cudnie. Przyjaciel miał żonę, ale żona go nie rozumiała, w przeciwieństwie do zołzowatej. Poglądy zołzowatej są mało oryginalne: trzeba brać, co dają, korzystać z okazji, głupców nie sieją, każdy ma to, na co sobie zasłuży. Wszystko to prawda...

Korzystała z życia, jak mogła. Mąż zarabiał – zołzowata wydawała. Przyjaciel inwestował – zołzowata chwaliła się nowymi perfumami. Zołzowata nie ma przyjaciół, ale ma całe grono znajomych.

Pruderyjna nie jestem, ale męża jej znałam, więc byłam nieco zaskoczona, że jednak odważyła się przyjechać z przyjacielem. Od ogniska oderwał mnie telefon – to mąż. Stoję z zołzowatą w pokoju, w oddali oni siedzą przy ogniu, a ona ćwierka w telefon, że jest u mnie i że może zostanie na noc.

– Pierwsze słyszę – powiedziałam zdziwiona.

A zołzowata syczy:

– Co ty myślisz, że ja do każdego bym miała takie zaufanie jak do ciebie? Nie spodziewałam się, że jesteś taką świnią.

Szczerze mówiąc, ja też się nie spodziewałam. Zołzowata stała w kuchni, w ogrodzie przyjaciele pili moje zdrowie, Krzyś grał *Summertime*, gitara płakała, a ja mimo tego odważnego postępku czułam się jak świnia. Zołzowata syczała dalej:

– Myślałam, że jesteś moją przyjaciółką.

Tu się zdumiałam, bo zołzowatą widziałam parę razy w życiu, ale do przyjaźni to kawał drogi.

– Sama mówiłaś, że należy cieszyć się każdą chwilą, że życie jest krótkie, a teraz wylazło szydło z worka.

Owszem, mówiłam, ale moje własne słowa w ustach zołzowatej brzmiały jakoś inaczej.

– Nie zawodzi się przyjaciół – ciągnęła zołzowata – może żartowałaś?

Już-już, pełna poczucia winy, miałam wszystko obrócić w żart, ale właśnie się okazało, że do kuchni dotarł jej przyjaciel, razem z Adamem, socjologiem. Przyszli po resztę wina.

Przyjaciel zołzowatej klepnął mnie w ramię.

– To załatwione, tak? Ładnie tu u ciebie, takie zadupie.

Na szczęście poczułam się tak, jakby kto na mnie kubeł zimnej wody wylał. Zadupie? Adam spojrzał na mnie zza drzwi lodówki, nie przysięgnę, ale wydało mi się, że widzę na jego obliczu cień dezaprobaty dla przyjaciela zołzowatej, więc powiedziałam:

– Nie zatrzymuję was wobec tego na tym zadupiu.

– No wiesz – powiedziała zołzowata i roześmiała się. – Przecież brama jest zamknięta.

Na co Adam – ostatecznie obcy zupełnie mężczyzna – mrugnął do mnie i powiedział szarmancko:

– Już otwieram.

Po czym zamknął lodówkę i otworzył bramę.

– Będziesz jeszcze czegoś ode mnie chciała! – krzyknęła zołzowata i pomknęli w ciepłą noc.

Stałam w kuchni porażona. Dlaczego bywają u mnie tak wstrętni ludzie? Dlaczego ktoś ośmiela się obrażać moje cudowne miejsce na ziemi? Dlaczego nie umiem zareagować od razu? Dlaczego moja inteligencja jest schodowa i przyszła? Za dwa dni przyjdzie mi do głowy odpowiedź na to jej zadupie – a teraz nic, pustka w mózgu. Usłyszałam szczęk bramy. O mały włos bym się rozbeczała. Adam wrócił do kuchni, sięgnął do lodówki, wyjął wino i spojrzał na mnie.

– Idziemy – powiedział. – Ci ludzie nie są warci tego miejsca.

Interesujący mężczyzna.

O drugiej w nocy, kiedy wydałam z kuchni już wszystko, co nie było suchym żarciem dla psa i kiteketem, mogłam nareszcie odetchnąć. Ostatnie wino wyniosłam do ogniska, nikt szczęśliwie nie chciał herbaty ani kawy – mogłam się spokojnie przyjrzeć Adamowi. Czy to nie dziwne, że się nie spotkaliśmy wcześniej, skoro pracujemy w jednej firmie?

On, okazuje się, robi dorywczo rubrykę ,,Odpowiedzi psychologa''.

*

Adam zadzwonił do mnie o dziesiątej, żeby podziękować za miły wieczór. Wieczór! Odjeżdżał, jak świtało. I zapytał, czy przyjęłabym zaproszenie na obiad, skoro w mojej lodówce jest tylko słoik po papryce konserwowej, musztarda oraz dwie wysuszone marchewki.

Jakie szczęście, że moja mama i mój tata odwołali przyjazd!

Tosia u ojca i Joli i ich nowo narodzonego. Mogę oczywiście przyjąć takie zaproszenie, tym bardziej że do niczego nie zobowiązuje. Roześmiał się w słuchawkę i powiedział, że będzie o czwartej.

O dwunastej poszłam do Uli. Siedziałyśmy pod kruszyną do wpół do trzeciej. O trzeciej zabrałam się do porządków w łazience, żeby umyć głowę i ubrać się w coś, co nie przypomina swetra i dżinsów. Chciałam wyglądać świeżo i ładnie mimo nadwagi, toksycznych rodziców, kłopotów codziennych, głównie finansowych, złośliwych przyjaciół etc.

Już jakoś za piętnaście czwarta włożyłam głowę pod strumień wody, pochlapałam odżywką, owinęłam ręcznikiem i zaczęłam być z siebie zadowolona, że tak zgrabnie mi to idzie. Dojechać do mnie przecież nie jest łatwo, więc mężczyzna, z którym byłam umówiona, na pewno tak szybko nie przyjedzie. Kiedy wklepywałam krem, korzystając z okazji, że nie mam włosów na twarzy, zadzwonił dzwonek. Rzuciłam się najpierw do drzwi, potem do łazienki, potem znów do drzwi, potem cisnęłam ręcznik, potem odkręciłam kran, potem do drzwi, woda się lała, potem uchyliłam okno i zobaczyłam, że to Adam. Stoi i czeka. Woda dalej się lała. Wpadłam w panikę. Jakże to tak – umawiać się na czwartą po południu i być punktualnie? Jeśli mężczyzna mówi, że będzie o czwartej – to mówi. Z mojego doświadczenia wynika, że jest o czwartej rano – bo samochód, bo korki, bo wypadek, bo autostopowicz, bo szosa rozmiękła i koleiny i dopiero nad ranem tak stwardniały, że można było jechać. Nie jest to możliwe, żeby umówić się na określoną godzinę i dotrzymać słowa. Nauczyłam się, że w żadnym wypadku nie muszę być przygotowana na takie niespodzianki.

Tymczasem przed moją bramą czekał mężczyzna, z którym byłam umówiona na czwartą. Przez okno w łazience krzyknęłam:

– Poczekaj!

Wsadziłam głowę pod kran, zalałam suszarkę, kota i własną spódnicę. Zaczęłam szukać ręcznika, który cisnęłam gdzieś, już nie widziałam gdzie, bo woda z włosów zalewała mi oczy. Chlapiąc tą wodą, rzuciłam się do szafy w przedpokoju i spuściłam sobie wszystkie prześcieradła na głowę, bo mi się półki pomyliły. Upychając prześcieradła, wyciągnęłam ręczniki i bluzkę, której szukałam przez całą jesień. Nawet się nie ucieszyłam. Oczy mnie piekły i ramiona miałam mokre. Borys siedział pod półką z książkami i patrzył. Jeśli miałby tak na mnie spojrzeć mężczyzna, z którym byłam umówiona, to wolałabym nigdy w życiu nie myć głowy.

Uchyliłam więc okno w kuchni i krzyknęłam:

– Już idę!

Wtedy spadła doniczka, co ją tam postawiłam na zimę. Spadła prosto do zlewu na moją ostatnią ulubioną szklankę z cienkiego szkła.

Kiedy wyjmowałam ze zlewu jej resztki, ręcznik, którym owinęłam głowę, zsunął się na oczy. I wtedy skaleczyłam się w rękę. Podciągnęłam ręcznik z oczu, żeby cokolwiek widzieć, i wtedy go upaprałam krwią.

Wiedziałam, co się stanie. On wejdzie i będzie wściekły, że nie jestem gotowa. Wszyscy oni są tacy sami. Stoi przed furtką i czeka. Musi być wściekły. Zobaczy mnie w tym stanie i będzie wiedział, że ma do czynienia z kretynką. Zobaczy doniczkę i będzie wiedział, że ma do czynienia z kobietą, która wrzuca do zlewu kwiaty doniczkowe. Zalała suszarkę, więc tak szybko nie wyjdziemy na ten obiad. Może w ogóle zrezygnuje z obiadu. Do kuchni go mogę nie wpuścić. Do suszarki mogę się nie przyznać.

Przekroczyłam stertę ręczników i prześcieradeł w przedpokoju, wsadziłam skaleczony palec do ust i nacisnęłam domofon. Stanęłam w drzwiach. Nie patrzył na mnie jak Borys, który siedział pod półką na książki. Miałam resztki kremu na twarzy, czerwone od resztek odżywki oczy, żółty ręcznik spadający na twarz, upstrzony czerwonymi plamami.

241

– Skaleczyłaś się? – powiedział Adam i wtedy oniemiałam.

Wszedł do kuchni i zapytał, czy mam plastry. Kiwnęłam głową w kierunku szafki obok zlewu. Wyjął plastry, podniósł kwiatek ze zlewu, potem kazał sobie pokazać rękę. Potem nakleił plaster. Potem rozkręcił suszarkę i wysuszył ją nad gazem. Potem powiedział:

– Nie szkodzi, przecież knajpy są otwarte do wieczora.

Byłam w szoku. Zachowywałam się jak nie ja. Milczałam.

Upchnęłam prześcieradła, ręczniki i bluzkę do szafy. Poszłam do łazienki, wytarłam krem, wysuszyłam włosy, wciągnęłam hinduską spódnicę i czarną bluzkę. Byłam skompromitowana. Chwilę zastanawiałam się, czy pomalować oczy, ale zrezygnowałam. Ostatnie moje malowanie oczu skończyło się tragicznie, kiedy z Eksiem poszłam do notariusza i wszystko mi się rozmazało.

Choć taki obiad do niczego nie zobowiązywał i Adam był po prostu – można chyba powiedzieć – kolegą z pracy, choć w redakcji podobno się widzieliśmy dwa razy i serce mi podskakiwało ze wstydu, postanowiłam wziąć się w karby. Dobrze, że mi na nim nie zależy, bo mogłabym się w takiej sytuacji tylko pochlastać.

*

Obiad był kapitalny.

Adam dzwoni codziennie. W ogóle nie traktuję go jak faceta. Może się zaprzyjaźnimy.

*

Ula powiedziała, że domniemany Hieronim został zatrzymany i wypuszczony z braku dowodów. W gazecie przeczytała. Nie czytam takich wiadomości, bo się tylko denerwuję. Dziś piszą to, jutro owo. Nie nadążam. Ale ona w ogóle nie rozumie, że mogłabym domniemanemu wybaczyć, że jest mafioso, ale wybaczyć kłamstwa? Żonę? O nie!

*

Dzisiaj Tosia wróciła ze szkoły w swoim ubraniu. Stanęła w drzwiach i oświadczyła, że była ostatni raz. Powiedziała dyrektorowi, że zmienia szkołę. Nie ma siły. Może iść do pracy. Nikt jej nie rozumie. W Hiszpanii już by mogła wyjść za mąż. Nienawidzi szkoły.

Zmartwiałam.

Rzuciła teczkę przy drzwiach, wzięła Zaraza na ręce i poszła do siebie. Nie wiem, co robić. Dzwonię do Eksia, żeby z nią porozmawiał. Tosia obstaje przy swoim.

Dzwonię do Adama. Ostatecznie jest socjologiem, więc mu mówię o szkole. Adam – żeby jej dać spokój,

243

nie zmuszać, sama dojdzie do siebie. Iść do szkoły i zapytać, o co chodzi. Nie robić awantur oraz nie zmuszać jej do niczego. Wykazać maksimum życzliwości. A potem pyta, czy może przyjechać. Przyjeżdża. W ogóle na mnie nie zwraca uwagi. Puka do niej i rozmawiają godzinę. Nie wiem o czym. Siedzę jak głupia przy stole w ogrodzie, Ula macha, żebym przyszła. Krzyczę do Adama, że jestem u Uli. Jestem wściekła. Niech przyjdzie, jak będzie chciał, socjolog jeden.

Ula spokojnie wysłuchuje, co mam do powiedzenia na temat świata, mężczyzn, ojców, obcych mężczyzn, dyrektorów, wtrącających się mężczyzn. Piję herbatę i po prostu mnie zatyka. Ze mną w ogóle Tosia nie chciała rozmawiać! A z obcym to może?

Ula słucha, słucha i słucha, a potem mówi, że chyba jakaś głupia jestem, i żeby Tosia oczywiście nie szła do szkoły, dopóki się nie dowiem, o co chodzi, i żebym jej dała spokój, bo przecież ma ciężki okres, ten jej chłopak z Krakowa to nawet już nie pisze, i w ogóle powinnam ją zrozumieć, bo takie rozczarowanie w tym wieku itd. Dlaczego ja o tym wszystkim nie wiem?

A potem przychodzi Adam. Miły, spokojny, jak gdyby nigdy nic. Nie cierpię go. Nie wiem, po co przyjechał. Wymądrzać się. Nawet nie zauważył, że mam podcięte włosy.

*

Tosia nie chodzi do szkoły. Mówi, że nigdy nie wróci do tej szkoły, nie pójdzie do szkoły, chce chodzić do innej. Nie denerwuję się, nie denerwuję się, nie denerwuję się. Adam mówi, że jestem genialna, nie denerwuję się.

*

Wczoraj przyjechała wychowawczyni Tosi. Powiedziała, żeby Tosia wracała, że różne rzeczy się na świecie dzieją. Jej córka też ciężko odchorowywała szkołę, kłótnie i wszystkie inne problemy. Wszyscy na nią czekają. Nie ma się co obrażać na świat, skoro jest na nim tylu życzliwych ludzi. Na pewno da sobie radę... Że czasem z tarczą lub bez tarczy ma inne znaczenie. A mianowicie...

*

Boże – jaki cudowny dzień! Jakie piękne jest życie! Jaki świat jest fantastyczny! Tosia poszła do szkoły! Wróciła do szkoły! Co zrobił dyrektor, który, okazało się, należy do ginącego gatunku mężczyzn prawdziwych! Wziął ją za rękę, wprowadził do jej własnej klasy i powiedział:

– Chcę wam przedstawić nową koleżankę, Tosię. Mam nadzieję, że ją życzliwie przyjmiecie. Właśnie zdecydowała się przyjść do naszej szkoły.

Trochę się spóźnię

Adam przyjedzie na ognisko do Uli i Krzysia. Że też Ula tak się musi z każdym od razu zaprzyjaźniać. Przecież w ogóle go nie zna! I na dodatek to jest mój znajomy! Tydzień temu zapytała, czy przyjdę z Adamem. A co to, mój brat czy swat? Będę chodziła sama, tam gdzie chcę! To nie jest mężczyzna mojego życia. Nie mogę sprawiać takiego wrażenia, jakby mi na nim zależało. Nie będę się już nigdy zadawać z żadnym facetem.

No to Ula go osobno zaprosiła. Przyjechał.

Zaparkował starego opla przed ich domem. Jest już z godzinę chyba, ale ja przecież nie będę lecieć, jakbym tylko czekała, kiedy przyjedzie. Trochę się spóźnię. Jeszcze muszę coś zrobić. To i owo. Nie wiem, iść już, czy jeszcze nie. Bo jeśli od razu teraz pójdę, to będzie jednak wyglądało, jakbym czekała na niego. A ja w ogóle nie czekam, tylko sobie spokojnie... sama nie wiem co. O! Pozmywam trochę. Albo nie. Nie warto zaczynać. Robota na pół godziny.

Swoją drogą to ciekawe, dlaczego Ula w ogóle nie jest zaniepokojona. Nie zainteresuje się nawet, co się ze mną dzieje. Może umarłam? Może zachorowałam? Może zemdlałam? Albo złamałam nogę i nie mogę się ruszyć? Pewno jest zadowolona, że ma swoich gości, i nawet o mnie nie pamięta. Że ja miałam przyjść. To może pójdę. Ale za chwilę. Niech nie myślą, że nie mam nic lepszego do roboty, tylko od razu biec. Na gwizdek. Muszę podlać ogród. Już ze dwa dni nie było deszczu. Trochę popodlewam, obowiązki na pierwszym miejscu.

Siedzą pod dębem i aż tutaj słychać, jak się śmieją. Idioci. Oni sobie siedzą, a ja muszę być odpowiedzialna za te roślinki. Które by się zmarnowały. Gdyby nie ja. O, bardzo proszę, jak im wesoło.

Jeszcze wierzbka, jeszcze taki krzaczek, co ma nazwę podobną do kerguleny. Adam siedzi obok Krzysia. Uli nie ma. I jeszcze jacyś ludzie, których nie znam.

– Co ty tak lejesz i lejesz pod tę wajgelę? Chcesz ją utopić?

Ale się przestraszyłam! Właśnie moja kergulena naprawdę nazywa się wajgela. Ale i tak nie jestem w stanie zapamiętać.

Ula stoi przy płocie.

– Nie pamiętasz, na którą byłyśmy umówione?

Pamiętam, ale musiałam podlać. No i jeszcze muszę wyłączyć komputer, bo pracowałam itd. Więc będę nie wcześniej niż za dziesięć minut. Wracam do domu, komputer już dawno wyłączony, ale niech sobie nie myślą.

I kiedy wychodziłam, przed moją furtką stanęło cinquecento. Moja stara znajoma, co to chciała przyjechać, jak ją mąż rzucił, i co ją pocieszałam kiedyś w nocy, że wszyscy oni są tacy sami! Jak wygląda! Znakomicie! Jaka szkoda, że teraz przyjechała! Witamy się serdecznie, mówię, że strasznie mi przykro, ale właśnie wychodzę. A ona, że tylko na chwileczkę, bo właśnie przejeżdżała.

Już za sam jej wygląd powinnam była się na nią obrazić. Zarzuciła farbowanie się na platynkę (co bardzo lubił jej były mąż) – i to jej niestety posłużyło. Wróciła właśnie z sześciotygodniowego kursu językowego w Londynie. Zmieniła pracę – na lepiej płatną i zdecydowanie ciekawszą. Doprawdy – nie wyglądała na porzuconą żonę. Chętnie bym tego wszystkiego wysłuchała, ale już byłam spóźniona do Uli. A poza tym: tak szybko zapomniała o swojej wielkiej miłości? Oburzenie prawie ścięło mnie z nóg. A ona rzuca mi się na szyję i się cieszy, że mnie widzi, i może byśmy się spotkały, tak się stęskniła, ale teraz ma dosłownie minutę.

Szybko zrobiłam herbatę. Patrzę i patrzę, i nadziwić się nie mogę. Uśmiechnięta. Łagodna. Ani śladu rozpaczy. Rozkwitła w czasie tych paru miesięcy jako żona porzucona. Nic nie rozumiem. Najlepsza rzecz, jaka ją w życiu spotkała, to to, że on odszedł. Nie wiedziała, na jakim świecie żyje. Nie wiedziała, co lubi, czego chce i czego jej brakuje. Była skierowana tylko na niego.

– Jak on mógł sobie z tym poradzić? – mówi do mnie stara znajoma.

Chwileczkę, czyżby zapomniała, co on jej zrobił? Nie zapomniała. On nie dał sobie rady. Jak mógł żyć z kobietą, która przestaje być sobą? Która nie wie, co lubi, bo zaczyna lubić to co on, żeby on ją lubił bardziej?

– Ja go rozumiem – mówi stara znajoma – teraz ja go rozumiem. Ożenił się z towarzyską szatynką, uśmiechniętą i dowcipną, z mnóstwem znajomych i jakimiś zainteresowaniami. A rozwodził się z platynową blondynką, smutną, bez przyjaciół, uczepioną jego pracy, jego zainteresowań, jego życia. Co ja z siebie zrobiłam? Gdyby nie on, gdyby nie jego decyzja, chyba bym już nigdy nie wiedziała, co znaczy żyć!

No, a potem strzeliła z najgrubszego kalibru.

– Wiesz – zacytowała z *Tańczącego z Wilkami* – coś mija, żeby zrobić miejsce nowemu. Jakie to szczęście, że on odszedł, bo nigdy bym nie spotkała Bartka. A Bartek... nie jest dla mnie całym światem. I nareszcie mogę być sobą. Czy to nie wspaniałe? A co u ciebie? Ślicznie wyglądasz – powiedziała ze zdziwieniem.

Ja. Z tymi kłakami, co się nie dają ułożyć. W grubym swetrze. W dżinsach. Bez makijażu. I w dodatku muszę już koniecznie iść do Uli, bo nie wypada się tak bardzo spóźniać.

– Wiesz, o czym mówię, prawda?

Ja tam żadnego Bartka nie spotkałam, to skąd mam wiedzieć.

Stara znajoma uśmiechnęła się do mnie promiennie.

– Tak się cieszę, że tobie też się powiodło. Kiedy on odchodzi... nie znaczy, że świat się kończy. Świat się dopiero zaczyna. Teraz wyjeżdżamy na urlop, ale będę z powrotem pod koniec miesiąca. Przyjedź do mnie koniecznie! – Wskoczyła do cinquecento, i już jej nie było.

Podejrzewałam, że czasem lepsze jest oświadczenie o rozwodzie niż rozwodzenie się nad oświadczynami. Ba, wiem to z własnego doświadczenia. W dodatku w ogóle nie wyjadę na urlop. Wszyscy gdzieś wyjeżdżają. Zaliczają góry albo morze. W gorszych wypadkach mkną do ciepłych krajów. Ciepłe kraje są bardzo pożyteczne, ale przecież nie wtedy, kiedy nad Polską rozlewa się trzydzieści stopni Celsjusza. Niektórzy są nieszczęśliwi, bo nigdzie nie wyjeżdżają. Jak ja. Mogę tylko siedzieć w ogrodzie albo iść do Uli.

Nasypałam kotom żarcia. Potem zauważyłam, że ich nie ma. Wobec tego znowu wyszłam do ogrodu. I wtedy usłyszałam cichutkie wołanie:

– Ojej! Ratunku!

Bo Ula nie może głośno – ze zrozumiałych względów – wołać swoich kotów. Wobec tego ja też krzyknęłam na swoje:

– Zaraz! Potem!

Siedziały przy piwoniach i nie zamierzały mnie słuchać. Zaraz wdrapał się na furtkę między mną a Ulą, a Ula krzyknęła do mnie:

– Natychmiast przychodź!

Wieczór był ciepły. Pachniało maciejką. Kruszyny cicho szeleściły. Spóźniony bażant zaskrzeczał i z łopotem gdzieś się przeniósł. Ula zapaliła naftową lampkę i postawiła na stole pod dębem czajniczek z herbatą. Z ciemności za chwilę wynurzył się Krzyś. Nie było nikogo prócz nas. Te dwie osoby, zanoszące się śmiechem, które wzięłam za jakichś obcych, to były córki Uli, które na chwilkę przysiadły się do ojca.

Adam rozpalał ogień koło starej śliwy, nawet nie wiem, czy zauważył, że już jestem. Ja też w ogóle nie zwracałam na niego uwagi. Dopóki mi nie położył ręki na ramieniu. A ciepłą miał tę łapę, aż podskoczyłam.

– To tylko ja – powiedział. – Cieszę się, że już jesteś.

I poszliśmy wszyscy do ognia.

Krzyś przyniósł gitarę. Brzdąkał cichusieńko, nie zagłuszając tego, co się działo we wszechświecie. Gra tak, że Clapton mógłby mu pozazdrościć, gdyby kiedyś wpadł do nas na wieś. W stawie pod dębem plusnęła ryba. Ojej wyszedł zza juki i usiadł koło nas. Zaraz wskoczył mi na kolana.

Wtedy przyszedł ten urlop, którego już nie miałam. Poczułam woń gwiazd. Ula nalewała herbatę, nad nami wisiał Wielki Wóz. Zasadniczo wisi nad moim domkiem, ale kiedy jestem u Uli, Ula mówi, że wisi nad ich domem. Niech jej będzie. W kruszynach szeleściło, pies ułożony w nogach męża Uli spał. Ojej przekrzywiał zabawnie głowę. Ratunek nad brzegiem stawu uparcie moczył i otrzepywał łapę, chyba w nadziei, że mu się jakaś ryba przez pomyłkę przyklei do włoska. Przy ogniu zbierały się latające zwierzątka nocne. Mąż Uli się podniósł:

– Trzeba to uczcić.

– Co? – zdziwiłam się.

– Jak to co? To! – gestem objął drzewa i gwiazdy, i trawę, i nas, i zwierzęta, i noc. I otworzył wino. Zrobiło się święto. Nie mówiliśmy wiele – patrzyliśmy, słuchaliśmy, oddychaliśmy.

– Wypijmy za ten cudowny wieczór i za to, że możemy być tutaj – powiedział mąż Uli cicho i wziął znowu gitarę do ręki.

I tak siedzieliśmy przy tym ogniu, w ciszy i spokoju. Adam siedział przede mną i opierał się o moje kolana. I patrzyliśmy w ogień. Noc kwitła. Pachniała. Cichła.

Kiedy Adam odprowadzał mnie do drzwi, zając przekicał przed domem, jak gdyby nigdy nic. Może lekko przyspieszył na dźwięk klucza. Adam zapytał, czy poszłabym z nim jutro do jego przyjaciół, bo nie chciałby iść sam, a skoro się przyjaźnimy... Oczywiście, skoro się przyjaźnimy, to czemu nie? Pocałował mnie w policzek na pożegnanie i poszedł sobie.

Pomyślałam z żalem o tych wszystkich, którzy gdzieś teraz wyjeżdżają. Nie widzą, jak Ratunek siedzi nad stawem i z obrzydzeniem wkłada łapę do wody. Wkłada i otrzepuje. Nie widzą gwiazd. Które są znacznie bliżej u nas niż gdziekolwiek. Wyjeżdżają sobie i wyjeżdżają i nie umawiają się na jutro z nikim.

*

Byłam z Adamem u jego przyjaciół. Kapitalni! To jednak jest prawidłowość – za każdym fantastycznym facetem stoi jakaś fantastyczna kobieta. A za jakąś fantastyczną kobietą stoi inna fantastyczna kobieta. Adam zachowywał się tak, jakby mnie odrobinkę uwodził. Niestety, to było bardzo miłe. Ale byłam dzielna. Nie dałam się. Nie nabiorę się na żadne sztuczki. Przyjaźń! Wyłącznie przyjaźń.

Wyszliśmy od nich o dziesiątej. I wtedy Adam zaprosił mnie do knajpy z prawdziwymi cegłami i klepiskiem zamiast podłogi i olbrzymim kominkiem w środku. Siedliśmy sobie w kącie, a on patrzy na mnie uważnie i mówi:

– Jeśli mamy się przyjaźnić – muszę ci coś powiedzieć.

O, nie! Po moim trupie! Zaraz mnie zapyta, co zrobić, żeby żona do niego wróciła czy coś w tym guście! Znam te numery na pamięć. Szlag mnie trafi. Zawsze to samo!

– Chcę, żebyś wiedziała, że ja... parę miesięcy temu...

– Chodzi o kobietę? – przerwałam mu zdecydowanie.

– Poniekąd... – roześmiał się. – Ale też i o mnie.

Podjęłam desperacką decyzję. Nie chcę słuchać żadnych zwierzeń, żadnych życiorysów, żadnych spowiedzi. Nie!

– Słuchaj – zebrałam się na odwagę. – Zawieramy kontrakt na przyjaźń. Nie chcę wiedzieć nic o tobie sprzed paru miesięcy. Przyjaciele nie muszą się sobie tłumaczyć. Jeśli coś budujemy, to zacznijmy od dziś. Bez obciążeń, OK?

Minę miał niepewną.

– Zrozum, naprawdę nie czuję się przygotowana do zwierzeń, i to mężczyzn. Mój Eksio zwierzał mi się bez przerwy. Z tego, jak bardzo kocha inną kobietę albo co z nią robił, albo że jest idiotą, albo że tak mu żal dziecka, albo że... – Już powiedziałam za dużo.

– Nie jestem twoim eksmężem. Szkoda, że upakowałaś nas do jednego wora, bo ja...

– Skoro się przyjaźnimy, to rozumiem, że ja też mogę mieć do ciebie jakieś prośby. Jedna z nich brzmi: żadnej przeszłości. Po prostu włos mi się jeży, jak słyszę, że jakiś facet chce mi coś wytłumaczyć. – Spojrzałam mu prosto w oczy.

Spojrzenie miał czyste. Smutne.

– Rozumiem, że jesteś poraniona i dlatego...

Nic nie rozumie, socjolog pieprzony. Dlaczego mężczyźni nic nie rozumieją? I jeszcze mi wywraca kota ogonem. Już mi się w ogóle przestało podobać. Już chciałam być w domu. Spędziliśmy w pewnym napięciu następne piętnaście minut. A potem odwiózł mnie do domu, choć tłumaczyłam, że przecież mogę wracać wukadką. O tej porze w kolejce na pewno gwałcą, mordują i kradną, ale co tam. Wysadził mnie przed domem. Walczyłam z kluczem do furtki. Od czasu kiedy mam zamek w drzwiach, doszedł jeszcze jeden identyczny klucz do kompletu – mały, srebrny i tej samej firmy. Co z tego, że mają inne ząbki, skoro ząbki są malutkie? Każdy klucz powinien być w innym kolorze. Albo z innym napisem. Na pewno klucze robią mężczyźni – jestem tego w stu procentach pewna. I gdy już udało mi się wyjąć z zamka klucz do drzwi wejściowych, uprzednio wyjąwszy klucz do komórki, i wsadzić go do zamka od furtki, Adam wysiadł z samochodu.

I stało się coś, czego do dzisiaj nie rozumiem. Zamiast otworzyć ten cholerny zamek, po prostu zaczął mnie całować. Pachniał bosko i miał twarz szorstką od zarostu. I tak staliśmy, i staliśmy pod tą furtką, na pewno sąsiadka od jajek nie będzie mi się odkłaniać, skrzynka pocztowa uwierała mnie w plecy, a Adam trzymał mnie zdecydowanie. Stanowczo. Najgorsze było to, że nie spotkało mnie nic przyjemniejszego w życiu.

Po czym otworzył furtkę, oddał mi klucze i powiedział:

– Jutro zadzwonię.

Wpadłam jak burza do łazienki. Przyjaźń? Z takim całowaniem? Ale bez przerwy mówi o przyjaźni, czyli nie powinnam mieć żadnych złudzeń. O Boże! Umyłam twarz zimną wodą. Oddychałam głęboko. Czułam się jak po pierwszej randce. Tylko na miłość boską, wtedy miałam piętnaście lat i rodziców, których bystre oko mogło rozpoznać ten grzech śmiertelny na mojej twarzy – czyli to, że Krzysiek mnie pocałował w policzek. A teraz? Teraz jestem dorosła i wiem, że całowanie nie zostawia śladów.

Weszłam do kuchni. W kuchni siedziała Tosia i jadła pyszne kanapeczki z serkiem. Czytała.

Włączyłam czajnik. Podniosła głowę i powiedziała:

– Adam cię odwiózł? O, całowałaś się! No, no, no.

Ja tego zupełnie nie rozumiem. Kiedyś myślałam, że jak kobieta wyjdzie za mąż, to jej nikt nie będzie sprawdzał. Potem myślałam, że jak kobieta się rozwiedzie, to nikt jej nie będzie sprawdzał. I proszę! To kiedy kobieta, czyli ja – może sobie pożyć spokojnie, jeśli najpierw ma rodziców, potem męża, a potem dziecko?

Za dużo myślę

Wieczorem poszłam do Uli. Od razu mnie zapytała, o co chodzi. Ula mi dała popalić, że kombinuję, że za dużo myślę, że życie trzeba brać takie, jakie jest, że przecież jestem kobietą po przejściach i że co ja wyprawiam. Prawdziwy mężczyzna się zdarza raz na milion, a ona się zna na ludziach. Na dodatek rozwiedziony, czyli że mógł się czegoś nauczyć w przeszłości. Nie będzie może na mnie ćwiczył. A poza tym od jednego pocałunku do srebrnych godów droga długa i chyba mam nie po kolei w głowie. Nie myślała, że jestem taka głupia. Nie myślała, że należę do tych kobiet, które oglądają do końca film pornograficzny, z nadzieją, że wszystko się dobrze skończy – to znaczy, że bohaterowie tego filmu się pobiorą.

A czy ja coś mówię o złotych godach?

*

Spotkałam wczoraj zołzowatą. Byliśmy z Adamem na kolacji. To oczywiście nie była randka, oboje pracowaliśmy do późna przed oddaniem numeru, i tak wyszło, że wylądowaliśmy w knajpie, żeby coś przegryźć. Niespecjalnie się spieszyłam do domu, bo Tosia wyjechała z ojcem na weekend. Pewno musiał odpocząć od Joli i nowego dziecka.

Wpadła na nas zołzowata. Z jakimś obcym panem. A czy może się przysiąść, a może poznamy Iksa. Ach, kochanie, to moi przyjaciele. Ach, kochanie, poznaj ich. To Judyta – ona pisze. To Adam. Adam pracuje z ludźmi. Ha, ha, ha. Jakie to zabawne. Pieniędzy to chyba z tego nie ma specjalnych. Ha, ha, ha. Z ludzi teraz trudno wydusić pieniądze. Ha.

Mało asertywny był socjolog, bo ani się obejrzeliśmy, jak rozlokowali się przy naszym stole i zaczęli zamawiać golonkę z czymś zielonym, kraby i butelkę wina. Adam do mnie mrugnął. Wiedziałam, o co chodzi. Szybkie danko i się zmywamy. Dwie zupki.

– Nie pijecie?

– Dziękuję, jestem samochodem – mówi Adam.

– A ja robię w biznesie? – roześmiał się spaślak w czerwonej marynarce i poklepał zołzowatą po udzie.

– Ja też nie na piechotę! Nie przesadzaj pan, z życia się należy cieszyć!

No i w czasie czekania na nasze zupki usłyszeliśmy, że mąż zołzowatej się odwinął, przyjaciel oprzytomniał i wrócił do żony, ale za to spaślak lubi tych panów, bo zołzowata taka świetna. Kupił jej punto na urodziny, w piątek odbierają. Ożeni się z nią, jak tylko się rozwiedzie.

– Pani pracuje? – zwraca się do mnie. – O, bo moja Kicia nie będzie już pracować. Mnie stać na to, żeby kobieta przy mnie nie pracowała – mówi w stronę Adama.

Pomyślałam sobie, że życie jest niesprawiedliwe. Aż się prosiło o to, żeby zołzowata pocierpiała chwilkę. A tu niesprawiedliwość i nieuczciwość nagrodzone, samochodem się rozbija, przyszłość kolorowa przed nią.

– Kicia chce jechać na Bali w tym roku, a państwo gdzie się wybieracie?

Adam uśmiecha się do mnie, bierze mnie za rękę i mówi:

– Planowaliśmy Fidżi, ale o tej porze roku tam są mrozy. Zaczekamy do stycznia.

Zołzowata, w ciuchach prosto z Wiednia, wgapia się w Adama.

– To ty z nim?... – szepcze scenicznie i nareszcie błyska w jej oku zazdrość.

Spaślak w czerwonej marynarce nie dopinającej się na brzuchu przechyla kieliszek.

– Jak to miło spotkać się z inteligentnymi ludźmi, trzeba korzystać z życia! Nalej, żyje się raz! – i klepie Kicię po plecach.

Zołzowata uśmiecha się jadowicie.

– Dalej na tym zadupiu siedzisz? Życie marnujesz, a życie jest jedno.

Jemy w pośpiechu nasze zupki i biegniemy do samochodu. Herbatę wypijemy już u mnie. Noc była ciepła. Na tarasie siedzieli sąsiedzi i sączyli wino. Ula krzyknęła:

– Chodźcie do nas!

U sąsiadów z boku uchyliło się na górze okno.

– My?

– Chodźcie też! – Krzyś zamachał w gwiazdy.

I rozpalił grill, wyjęłam z zamrażalnika resztki ryby. Krzyś położył na grillu swoje karpie. Ostatnio łowi razem z sąsiadem. Mówi, że woli ryby, bo jak się chodzi na baby, to nie można ich potem przynieść do domu.

Ula patrzy na Krzysia i mówi pogodnie:

– Dlaczego? Jeśli wypatroszone...

Siedliśmy pod gwiazdami. Krótki dzwonek przy furtce i nasi sąsiedzi w szlafrokach dołączają z butelką czerwonego wina. Zapalona na stole świeczka odbija się w kieliszkach. Noc jest cicha i pogodna. Koło pierwszej nasz sąsiad bez przekonania rzucił w przestrzeń:

– Chyba pójdziemy, jutro trzeba do roboty.

– Zostańcie, jest tak pięknie – mówi Krzyś. – Trzeba umieć korzystać z życia.

Korzystaliśmy z życia do trzeciej. To znaczy my z Adamem troszkę dłużej. Przy samochodzie, jak go odprowadzałam do bramy.

Kiedy rano otworzyłam szeroko okna, Ula z Krzysiem jedli śniadanie na tarasie.

– Nie ubieraj się, tylko przychodź – Ula zerwała się z krzesełka – wstawię następne jajka. Chodź, kawa zaparzona!

Nie piję kawy. Ale co mi tam. Przecież żyje się tylko raz.

*

Wczoraj przez godzinę tłumaczyliśmy znajomemu wybitnemu matematykowi, że naprawdę e-maila z niczym porównać się nie da: dziś wysyłasz list, a na końcu świata za chwilę można go przeczytać, oczywiście pod warunkiem, że masz komputer. Matematyk powiedział, że listy do niego idą pół roku. Krzyknęliśmy: ,,To załóż sobie pocztę e-mail!" I wtedy ujawnił, że właśnie od czasu kiedy ma tę pocztę, listy tak długo do niego idą. Niemożliwe! Ano możliwe. On do swojej skrzynki zagląda raz na sześć miesięcy.

Ja tam go rozumiałam. To oczywiste. U mnie jest to samo. Natychmiast powiedziałam, że też tak robię. I wtedy coś się stało z Adamem. Zbladł. Słowo daję. Zapytał, czy zaglądam regularnie do swojej poczty. Grzebał mi w komputerze?

– A skąd wiesz, że w ogóle mam?

– Trudno go nie zauważyć.

Tu mi się trochę głupio zrobiło, bo rzeczywiście od czasów Hirka domniemanego nie zaglądam do poczty. Bo i po co?

Adam jakoś przygasł. Nie będę się przejmować humorami jakiegoś mężczyzny. Ptaszki nam śpiewają, a Ula pyta przez płot, czybyśmy nie pojechali wieczorem do Mańki, bo ma urodziny. Matematyk sobie poszedł, ale niepokój został. Osobiście nie wierzę w mężczyzn, którzy dedukują. Owszem, umysł analityczny to oni mają, tak napisał jeden facet w książce *Płeć mózgu*, ale umówmy się – to pisał facet!

Nie wierzę, że nagle ni stąd, ni zowąd rozmowa schodzi na mojego e-maila. Bez powodu. A Adam tak jakoś dziwnie na mnie patrzył. Ale z drugiej strony nie mam pojęcia, dlaczego ludzie mówią, że to szybka poczta, skoro się w ogóle nie można dodzwonić i bez przerwy każą czekać na wybieranie numeru i pojawia się napis: ,,linia zajęta". Wtedy na dodatek nikt się do mnie nie może dodzwonić. I mam utrudnione połączenie ze światem (telefoniczne). No bo albo-albo.

Za dwa tygodnie mamy zaćmienie słońca. Czy to nie fantastyczna wiadomość? Najpierw kometa, potem zapowiadany koniec świata, a teraz zaćmienie. To wszystko znaki, że można życie zacząć od nowa. Wszystko zmienić. Że idzie niespodziewane, dobre, nowe. Nie będę przejmować się Adamem i e-mailem. Zajrzę przy okazji.

Wieczorem jedziemy wszyscy do Mańki – starym garbusem Krzysia. Adam wprowadza swój samochód za moją bramę. Sąsiedzi pomyślą, że mam chłopa. Nie ma tam żadnej tabliczki z tyłu samochodu: ,,Jestem przyjacielem Judyty". Adam będzie spał u mnie, w gościnnym pokoju. Co prawda jest niewykończony, ale trudno.

*

Dojechaliśmy do Mańki wolniutko, bo polną drogą. I stało się. Wiadomo było, że Adam nie będzie prowadził, on nigdy nie pije, bo zawsze wraca do siebie do domu. Skoro dzisiaj jako przyjaciel, rzecz jasna, może zostać, to od razu sobie pozwolił na drinka. A myśmy nie uzgodnili, kto prowadzi z powrotem. Owszem, piliśmy wszyscy, z tym że mężczyźni nieco więcej niż panie, a jedna pani nieco mniej niż druga. Ponieważ jesteśmy ludźmi dojrzałymi, mądrymi i przestrzegającymi określonych norm, uznaliśmy, że po alkoholu prowadzić nie będziemy. Ale możemy samochód przepchać, bo co to jest sześć kilometrów. Wypchnęliśmy więc garbuska na szosę, Adam z Krzysiem pchali, panie szły z tyłu. Garbusek co prawda jest nieduży, ale strasznie niewygodny do kierowania z zewnątrz. Kiedy trzeba było mocno skręcić kierownicę, małe okienka bardzo to utrudniały. Adam z Krzysiem wpadli więc na pomysł, żeby jednak Ula, która wypiła mniej, wsiadła, broń Boże, nie prowadziła, ale kierowała.

Ula wsiadła, oni pchali, a ja szłam obok. Kiedy zrobiliśmy następny kilometr, Adam powiedział, że to niesprawiedliwie, że ja idę, bo przecież oni sobie ze mną również poradzą. Siadłam więc koło Uli. I pchali nas obie. Po trzech kolejnych zakrętach dostali zadyszki i nieśmiało zaproponowali, żeby Ula włączyła pierwszy bieg, oni będą dalej udawać, że pchają, a nie wykończą się do cna.

No to Ula włączyła pierwszy bieg. Ale zarzęziło! Krzysiowi zaczęło to przeszkadzać, bo jednak samochód się niszczy, i kazali wrzucić dwójkę. Obaj panowie wskoczyli z tyłu na zderzak, bo przecież musieli cały czas udawać, w razie czego, że pchają.

A potem piękna noc zamieniła się w noc lekko dżdżystą. Zaczęło kapać z nieba. Wtedy na zderzaku zrozumieli, jacy z nich idioci – przecież jeśli samochód jedzie, to oni mogą wejść do środka i przeczekać deszcz! Byleby tylko jechać odpowiednio wolno. W ten oto sposób po prawie godzinie znaleźliśmy się przed moim domem.

A potem... No właśnie... Stało się nieszczęście. Otóż pościeliłam Adamowi w gościnnym i w ogóle nie miało to znaczenia, że tylko pocałowaliśmy się na dobranoc.

Na razie.

Ale potem miało.

*

Ja to wszystko wiem. Że nie należy iść do łóżka przed nocą poślubną. Rozmieniać się na drobne. Nie szanować się. Bo jak ty się nie będziesz szanować, to nikt inny cię nie będzie szanować. Ale przecież gdybym poszła ze swoim Eksiem do łóżka przed uzgodnieniem terminu ślubu, to na pewno bym za niego nie wyszła!

A za Adama tak. On jest zupełnie inny niż wszyscy.

Kiedy się obudziłam, nie było samochodu. Na poduszce kartka: ,,Będę o siódmej. Musimy pogadać. Całuję". Boże, co ja zrobię? Do siódmej nawet nie schudnę, a przydałoby się w tej sytuacji zrzucić ze cztery kilo. Nie zdążę. O czym on chce ze mną rozmawiać? Przecież ostatecznie nic się nie stało? Jesteśmy dorośli. To normalne, że dorośli ludzie się spotykają, a potem nawet mogą uprawiać seks. Niektórzy oczywiście.

Boże, co ja zrobię?

*

No więc właściwie, abstrahując od seksu, który jest bardzo, ale to bardzo przyjemny, i dlaczego ja miałam w wiadomościach o tym, że może być przyjemny, taką dużą przerwę, prawie dwudziestoletnią – jeśli chodzi o ten samochód, w którym momencie przekroczyliśmy te cholerne normy? Czy jak jeszcze wszyscy pchali, to można było? A jak Ula siedziała w środku, przy wyłączonej stacyjce, to było już przestępstwo czy nie? A jak jechała na jedynce? Dlaczego musieliśmy zepsuć tak dobrze zapowiadającą się przyjaźń? I co teraz będzie? Jak ja mu spojrzę w oczy? W życiu nie przeżyłam takiej nocy.

*

O, mamo moja kochana. To przecież w ogóle nie może być prawda. On wcale nie chce ze mną się przyjaźnić. On po prostu by chciał być ze mną. Tak normalnie. A skąd ja wiem, jak jest normalnie?

Żebyśmy dali sobie szansę na tę miłość. A kto tu mówi o miłości? Chyba się zakochałam. Śmiertelnie. Na zabój. Na zawsze.

*

Na pewno za chwilę będzie chciał, żebym siedziała cały czas w garach. I tak dalej. Żebym się rzucała do drzwi, kiedy przychodzi. Żebym się kładła spać razem z nim i nie przesiadywała wieczorami u Uli. Nie kruszyła w łóżku. (Nie kruszę już, bo mi niewygodnie na okruszkach.) Nie paliła w łóżku. Spała w zimnym pokoju. (I tak śpię w zimnym.) I żebym Borysa wyrzucała z łóżka na podłogę, a on już się na nowo nie przyzwyczai. Zresztą śpi w nogach. Z kotami to co innego. Potem lubi spać na szyi. Zaraz w okolicach brzucha. Na człowieku. No to co ja zrobię z kotami? Albo będzie chciał, żebym wstawała skoro świt. Pamiętała o kawie. I jeszcze robiła śniadanie o jakiejś nieludzkiej porze, jak siódma. Nie, w ogóle nie wchodzi w grę.

Na razie.

*

Na razie to po prostu nie wiem, na jakim świecie żyję. Wczoraj byłam świadkiem, jak jedna moja koleżanka powiedziała do męża:

– Chodźmy do kina.

On milczał. Nie reagował. Nie powiedział nic. Udał, że nie słyszy? Przeczuwałam, że jakaś małżeńska kłótnia tuż-tuż, pożegnałam się i wychodzę. Nie będę się wtrącać do cudzych spraw.

Ona odprowadza mnie do drzwi. Niby nie mogę się wtrącać, ale ściszając głos, mówię:

– Trudno jest faceta wyciągnąć do kina?

Niech wie, że ją rozumiem.

Ona patrzy na mnie i mówi:

– Przecież nie powiedział nie! To znaczy, że bardzo chętnie pójdzie, no coś ty?

Postanowiłam poobserwować, co robią mężczyźni na taką prośbę o kino. Długo czekać nie musiałam.

Wpadłam do Uli, telewizor informował o jakiejś premierze w kinie. Ula patrzy na Krzysia i mówi:

– Może się wybierzemy?

Krzyś wykazał daleko posunięte zainteresowanie kinem, filmem, filmem, o który chodzi, początkami kina, braćmi Lumière, techniką samochodową w szczególności, zrobił kawę, wyciągnął stary ,,Automotoshop" i już cały wieczór zastanawiali się, kiedy zmienić samochód. Co sprzedać, co kupić, jak zarobić, jak oszczędzić, gdzie nie pojechać, od kogo pożyczyć. Dzielnie mu sekundowałyśmy. Już przy koniaku. Do tej kawy. Idąc do barku, przesunął dłonią po jej włosach i mruknął:

– Mięciutkie, nowy szampon?

Skręcałam się z zazdrości. Z kina nici. Ale sama bym chętnie w tej sytuacji zrezygnowała.

Koniak wypiliśmy, a ja dalej nie wiedziałam, co robi przeciętny mężczyzna na propozycję pójścia do kina. Żeby mieć trzeci przykład, zapytałam trzeciej, co się dzieje, kiedy proponuje kino mężczyźnie. Otóż trzeci mówi: ,,Mogę". Ona się nabzdycza oczywiście, bo móc to każdy może, ale to nic nie znaczy. Chciałaby, żeby on chciał. Ale on tylko może. I trzecia jest skrzywdzona. Bo ona przecież do kina nie musi. Ona chce, i to z nim.

*

Kiedyś zastanawiałam się, dlaczego do każdej kobiety nie jest dołączona instrukcja obsługi, która znacznie ułatwiłaby życie mężczyznom. Coś w rodzaju: ,,w razie zastosowania niezgodnie z przeznaczeniem nie bierze się odpowiedzialności za efekty..." albo ,,gwarancja wygasa automatycznie". Teraz przyszło mi do głowy, że bez takiej instrukcji można by się obyć. To do mężczyzny powinien być dołączony tłumacz, który by nam tłumaczył, co mężczyzna ma na myśli. Do każdego w dodatku osobny, niepowtarzalny, żadne tam ogólniki – ty z Marsa, ja z Wenus. Który by objaśniał, na przykład, co to znaczy, kiedy on milczy. Co to znaczy, kiedy on mówi? Co to znaczy, że on może? Staram się uchwycić podobieństwa i różnice, ale nic z tego nie wychodzi.

Wobec tego wczoraj zaczepiłam Adama. Pijemy herbatkę.

– Może byśmy poszli do kina? – powiedziałam odważnie.

I myślę: teraz wyciągnę wnioski. Wyjdzie mi jakaś średnia zachowań mężczyzn.

– A na co chcesz iść? – zapytał Adam.

To przecież nie jest możliwe. To jest możliwe. Nie wierzę. Byliśmy razem na *Notting Hill*.

Mężczyźni są różni

Adam w pracy, ja siedzę przy komputerze. Tosia w szkole na fakultetach. Krupnik się gotuje sam, pyszniutki, pyrka sobie na ogniu, aż miło. Pachnie w całym domu. Mam nadzieję, że się nie przypali. Kiedyś przypaliłam rosół. Teraz uważam. Od dwóch dni leje. Droga rozmoczona, ale jak pięknie, o matko! I Adam przyjedzie od razu po pracy, tylko wpadnie do domu się przebrać. I zostanie do poniedziałku.

Myślałam, że jak się w końcu mama i tata dowiedzą, że sypia u mnie pewien mężczyzna, to będzie jakaś afera, na przykład, przy dziecku – powie moja mama – nie spodziewałam się tego po tobie. A ojciec mi powie, że gdyby był na moim miejscu itd.

Ale nic podobnego. Już chyba wcale się mną nie martwią. Może przestali mnie kochać. Mama spytała tylko, czy Tosia go lubi. Ale to ja w nim, za przeproszeniem, się kocham, a nie Tosia. Ojciec powiedział, że nie chce się wtrącać, ale przecież wiem, że mężczyźni itd. No, takich poglądów to bym się po nim nie spodziewała. Nie zależy im na mnie już w ogóle. A mężczyźni? Mężczyźni są różni!

Zaglądam do łazienki, taka nowość się u mnie pojawiła, płyn po goleniu i maszynka do golenia oraz końcówka od szczoteczki do zębów oral z czerwonym paseczkiem, aż przyjemnie sobie popatrzeć.

Zadzwonił dzwonek. O, proszę! Feministka do mnie wpadła. Feministka jest pełna jadu, mocno podlanego intelektualizmem. Ona dużo czyta, dużo wie, w racjonalizowaniu bije na głowę znanych mi mężczyzn (oraz niektóre kobiety). A mimo to popołudnie byłoby udane i miłe. Tematy feministyczne, w których feministka wiedzie na ogół prym, nam nie groziły, herbatka zaparzona czekała, napaliłam w kominku, bo coś chłodno zrobiło się, brzoza trzaskała wesoluchno, ale...

Na nieszczęście moje koty pojawiły się na horyzoncie. Intelektualistka się ożywiła, otworzyła okno, wpuściła wszystkie trzy i zapytała, czy kastrowane. Błysk w jej oku świadczył, że temat kastracji nie jest jej obcy i że oto otwierają się przed nami niezmierzone możliwości dyskusji – że tak się wyrażę – jądrowej.

Na trzy koty, bo tydzień temu dowędrował do nas Znajda, którego Tosia dokarmiała przez ostatni rok w komórce, więc na trzy moje koty przypadają dwa jaja – Znajdy, bo Zaraz i Potem ze względów bezpieczeństwa musiały być wykastrowane. Dwa domy dalej mieszka tak zwany gołębiarz, a koty jajeczne często się wypuszczały w jego okolice i niektóre już nie wracały, bo gołębiarz przedkłada nade wszystko mordowanie kotów w obronie gołębi.

Chyba zrobię o nim reportaż.

Wzięłam głęboki oddech i wytłumaczyłam intelektualistce feministce, dlaczego moje dorosłe koty są umniejszone o insygnia męskości. Temat jaj niezmiernie jej się spodobał i był punktem wyjścia długiego monologu o mężczyznach, potrzebie władzy i dominacji, upodleniu kobiet i braku elementarnego dla nas kobiet szacunku.

– Oni są zawsze lepsi, bo za takich się uważają! Zarabiają więcej! Nic nie muszą! A i tak cały świat opiera się na kobietach. To one rodzą. A mężczyźni to trutnie! – grzmiała. – Musimy coś z tym zrobić. Nie możemy pozwolić tak się traktować! Oni myślą, że włożą nas w jakiś schemat, nie pozwólmy na to!

Niespecjalnie miałam ochotę na niepozwalanie mężczyznom na coś – nawet powiedziałabym, że doświadczenia ostatnich paru tygodni zmieniły mnie na tyle, że raczej bym teraz pozwalała, ach, i pozwalała... Nie widziałam bezpośredniego niebezpieczeństwa związanego z upychaniem mnie w jakiś nieznany, a groźny schemat.

Koty moje spokojnie oddaliły się w stronę kuchni, strąciły pokrywkę z garnka z krupnikiem, poszeleściły w torebkach foliowych, przeprosiłam feministkę, podniosłam pokrywkę, nasypałam im czegoś, co moje koty by kupowały. Może by i kupowały, ale teraz tego nie jadły, miauczały w dalszym ciągu w kierunku krupnika – i wróciłam przed kominek.

Feministka była w swoim żywiole. Postanowiłam dać się jej wygadać, ale zaatakowała mnie ze zdwojoną siłą.

– Oni myślą, że są lepsi od nas! A nie są! Nie widzisz tego?

Nie widziałam. Niby generalnie widziałam, ale teraz to nie. Adam był lepszy na pewno, szczególnie rano, bo robił śniadania. Powiedział, że lubi. Ja robiłam kolacje. A ostatnio szczególnie byłam za różnicami między kobietami i mężczyznami, nawet powiedziałabym, stałam się fanką tych różnic.

Feministka była wstrząśnięta.

– Gdyby kazać im rodzić dzieci... – zaczęła.

O, co to, to nie! Nie będę marnować popołudnia na rozważania, co by było, gdyby... Przypomniałam jej w dużym skrócie, że mężczyźni nie mogą rodzić dzieci, i chwała Bogu, i ja akurat nie jestem za tak radykalną zmianą w przyrodzie.

– Ale kotom wyrżnęłaś jaja! – krzyknęła z triumfem. – I na pewno lepiej się czułaś! Odreagowałaś swoją podświadomą chęć niepodporządkowywania się mężczyznom! I słusznie! Gdyby każda kobieta kastrowała sobie codziennie przynajmniej jednego kota, miałaby świadomość własnej siły, świat wyglądałby inaczej! A tak to jesteśmy tylko na posługi!

Moje koty wróciły z kuchni. Jeden położył się przy psie, pies lekko warknął, ale nawet się nie ruszył, jeden wszedł mi na kolana i wygodnie odwrócony tyłem do świata, z mordką pod moim łokciem – mruczał, trzeci wskoczył na stół, zapolował na długopis, zrzucił go na podłogę i walczył z nim zawzięcie.

Ja przełykałam ostatnie zdania. Czyżby mówiła prawdę? Czyżby moje ukochane koty płaciły za różnice między nami a wstrętnymi mężczyznami, którzy mnie wykorzystują, są gorsi, wpychają mnie w schematy, o których nie mam pojęcia, i że tak naprawdę to ja cierpię, tylko o tym nie wiem? Może walka z nimi była koniecznością, tylko o tym zapomniałam?

Zawarczał samochód. Adam! Już-już byłam o krok od poderwania się, ale spojrzałam na intelektualistkę feministkę. Triumfalny uśmiech pojawił się na jej twarzy. Opadłam. Szczęknęła brama – nie podniosłam się. Nie będą mieli mężczyźni nade mną władzy! Nie muszę biec do drzwi i z zachwytem pytać, jak mu minął dzień. Niech sobie sam otworzy. Ma klucze. Niech nie myśli, że jest lepszy!

Mężczyzna wszedł. Pies się poderwał i radośnie witał go w przedpokoju. Zaraz przytulony do niego ruszył za nim. Znajda, który leżał na moich kolanach, zgrabnie zeskoczył i z podniesionym ogonem udał się dostojnie do kuchni. Potem porzucił długopis i skoczył za Znajdą, po drodze próbując złapać go za ogon.

A ja siedziałam. Przez uchylone drzwi widziałam, jak Adam odkłada gazety i torbę, a zakupy niesie do kuchni. Wita się z psem. Głaszcze koty. Wraca do przedpokoju. Zdejmuje kurtkę. Wchodzi do nas.

– O, masz gościa – powiedział, po czym się przywitał z feministką, a mnie pocałował w czoło. – Ale chodź na chwilę do kuchni.

A nie mówiłam – feministka patrzyła na mnie z wyższością.

Ale podniosłam się. Żadnych schematów!

– Głodny jesteś? – zapytałam grzecznościowo.

Adam zajrzał do garnka, koty również.

– O, krupnik – ucieszył się.

Koty też wyglądały na ucieszone.

– Odgrzeję, masz gościa. Tylko zobacz, takie chciałaś? – I wyjął z torby krewetki. Takie właśnie. Jak lubię. Królewskie. Duże. Soczyste. Zamrożone. Za jakimi przepadam. Które kupił, ot tak sobie, bez okazji, mimo że ich nie je. Bo krewetki w tym domu lubię tylko ja. Poczułam ciepło w brzuchu. Schemat – niech ją diabli wezmą! I tak się głupio dałam podpuścić! Weszłam do pokoju i przeprosiłam feministkę. Zajęłam się odgrzewaniem krupniku. Postawiłam trzy talerze na stole. Feministka patrzyła na mnie z politowaniem. Ale krupnik zjadła.

Kiedy odprowadzałam ją do bramy, powiedziała:

– Właśnie w obronie takich kobiet jak ty występujemy.

A potem już sami siedzieliśmy przy kominku. A może feministka miała rację? Zapytałam Adama, czy uważa się za lepszego od nas, kobiet. Popatrzył na mnie zdziwiony:

– Widzę, że szukasz zaczepki. Od których i pod jakim względem? – zapytał. A potem jeszcze mieliśmy czterdzieści minut do przyjścia Tosi ze szkoły.

I to było strasznie fajne czterdzieści minut. I koty w ogóle, ale to w ogóle nie były przykładem na moją podświadomość.

*

Adam dzisiaj przyjechał z synem. Bo ma. Jego była żona jest w szpitalu na operacji woreczka żółciowego. Nie wiem, jak można się przyjaźnić z byłą żoną, lecz Adam się przyjaźni. Szlag mnie trafia na tę przyjaźń, ale trudno. Syn długi, Tosia go od razu zaanektowała, a mnie ręce latały ze zdenerwowania przy pierogach ruskich. Taki syn to przecież gorzej niż teściowie. A poza tym on musi być wściekły, że go ojciec zabrał do jakiejś obcej baby. Czyli mnie. Syn co prawda w maturalnej, ale to najgorszy wiek.

– Czy ja dobrze widzę, że się denerwujesz?

To jest chyba jakaś socjologiczna przypadłość, żeby mnie tak bez przerwy śledzić.

– Przecież on musi być wściekły, że go tu przywiozłeś!

– Chciałem, żeby cię poznał. I Tosię. Mówiłem mu o was. A jeśli myślisz, że on jest wściekły, to taki mechanizm w psychologii nazywamy projekcją.

Skądś to znam. Ktoś już kiedyś zwrócił mi uwagę... Ale kto? Nie pamiętam... I jestem zła. Ale chciałabym, żeby Szymon mnie zaakceptował. I w życiu się do tego nie przyznam.

– Najwyższy czas, żebyśmy się wszyscy poznali. Więc przystąp do tłumienia złości albo niepewności, nie zje cię. On wie, że ja cię kocham.

Rozpuszczam się jak masło na patelni. Do wieczora gramy w scrabble, wszyscy czworo. Potem Adam odwozi Szymona. Tosia pomaga mi zmywać naczynia i mimochodem rzuca:

– On jest fajny. Akceptuję.

Na wszelki wypadek nie pytam, kto jest fajny. Udaję, że nie słyszę.

– Czy ty głucha jesteś? – pyta moja córka. – Jest nieźle. Szymon dobrze o nim mówi. Facet, który jest dobry dla syna, będzie też dobry dla ciebie.

Więc wychodzę z kuchni i przystępuję do tłumienia radości.

*

Adam pojechał na jakieś sympozjum pod Poznań. Zapraszam Elę, starą znajomą, której od półtora roku nie widziałam. Bo najpierw rozwód, potem dom itd.

Wyglądała ślicznie. Od razu jej to powiedziałam. A ona na to:

– Daj spokój, jestem wykończona, zobacz, jakie mam wory pod oczami.

Worów nie zauważyłam, ale przecież ona wie lepiej.

Wszystko, co żywe, zabierało się do przekwitania, to pewno ostatnie ciepłe dni, więc najpierw poszłyśmy na długi spacer. Kiedy wychodziłyśmy, brama skrzypnęła, Ula wychyliła głowę i krzyknęła:

– Cześć, Jutka!

Tylko Ula może do mnie tak mówić. I Adam.

Ela wydęła usta i powiedziała:

– No cóż, mieszkanie na wsi ma złe strony, wszyscy cię śledzą.

· Jakoś nie wpadło mi do głowy, że jestem śledzona, raczej był to dowód uprzejmości. Ale milczałam.

Las buchał wszystkimi zapachami nadchodzącej jesieni, byłam zachwycona. Wysłuchiwałam jej zwierzeń, bo taki jest los kobiet, idąc przez las brzozowy, sosnowy, łąki i piasek, mówią – co tu gadać – o chłopach. W miarę upływu czasu jej mąż okazywał się człowiekiem pozbawionym skrupułów, czci, wiary, pieniędzy, zaradności, a nade wszystko odrobiny zrozumienia. Nie to co Adam! Od czasu do czasu rzucałam zdania w rodzaju: na lewo, bo łąka podmokła, lub: teraz na prawo, bo dojdziemy do szosy.

Byłam pełna współczucia. Wróciłyśmy do domu, zjadłyśmy obiad, słońce zachodziło za brzozami. Zaplątana w trawie żaba myknęła do wody, kot z olbrzymim rozczarowaniem w oku łapał motyle, a Ela, siedząc w ogródku, popatrzyła w dal i powiedziała:

– Tak, mimo tych wad, o których mówisz, to miejsce ma urok.

Zatkało mnie. To mało, zamurowało mnie całkiem na czas jakiś. Potem wykrztusiłam:

– Ja coś podobnego mówiłam?

I dowiedziałam się, że ona wie, jak mi ciężko mieszkać w miejscu, gdzie się wszyscy znają i śledzą nawzajem. I wszyscy naokoło wiedzą, kto wchodzi i kto wychodzi z mojego domu; że laski może i ładne, ale przecież sama mówiłam, że podmokłe – znaczy, niezdrowe – można nawet powiedzieć, malaryczne, że zresztą jaki to las, jak szosa niedaleko, że tu musi być mnóstwo komarów, skoro woda, bo ta żaba to do wody. I ogólnie zgadza się ze mną, że nie jest dobrze.

Zabrakło mi cierpliwości i powiedziałam, że słuch ma wybiórczy. A potem pomyślałam ze współczuciem o jej mężu. Zapytałam, czy rzeczywiście taki on niedorajda i ciamajda? Jakże się oburzyła! Że nic podobnego nie mówiła. Potem wspomniałam o jej worach pod oczyma. Powiedziała, że jestem nieuprzejma, i prawie się obraziła. Zapytałam, czy pamięta, że jej powiedziałam, że ślicznie wygląda. Nie pamiętała. Bo nie usłyszała. A jej mąż jest wspaniały, po prostu wspaniały!

Ale zamiast się pokłócić, doszłyśmy wreszcie do wniosku, że mamy uszy długie, wyczulone na każdą zmianę tonu głosu, a nade wszystko ucho, któremu łatwiej przyswajać rzeczy niemiłe niż miłe. Do dobrego tonu należy wychwycić w rozmowie z kimś rzecz złą, kompromitującą, pominąć komplementy, uprzeć się przy tym jednym fakcie i na nim budować swoją niechęć do świata.

Tosia, jak była malutka, tak się ucieszyła, jak powiedziałam kiedyś: ,,Co na środku kuchni robi ta kupa klocków?" Ogłosiła to przy stole świątecznym, zanosząc się śmiechem, nie muszę dodawać, że u teściów:

– Myśmy miały na środku kuchni kupę i mama weszła i powiedziała, co robi ta kupa na środku?

W ten sposób mój przepiękny las będzie tylko podmokły i malaryczny, żaba, która wskoczy do wody, nie będzie oddechem wszechświata, tylko śliskim stworzeniem wskakującym do wylęgarni komarów, a każdy mąż będzie fatalny. Ale jeśli jej tak słucham, to może słucham tak wszystkich? Ten biedny Adam może ma ze mną krzyż pański? Czyżbym ja się w ogóle nie cieszyła? Tylko szukała dziury w całym?

Kiedy odprowadzałam ją na stację, znad pól wstawała lekka mgła. Skrzypnęła furtka. Ela pomachała w stronę Uli i krzyknęła:

– Do widzenia! – A potem powiedziała: – Ty to masz fajnie, wszyscy się znają. – A potem powiedziała: – Jak tu pięknie.

Troszkę skłamałam

Wieczorem zadzwonił Adam. Powiedział, że tęskni. Powiedziałam, że ja też. Zapytał, czy zaglądałam do e-maila.

Dobra, zrobię mu przyjemność. Mówię, że tak. No, owszem, troszkę skłamałam, ale czy to takie ważne? Co on się tak uparł, żebym się głupotami zajmowała? Próbowałam się połączyć z Telekomunikacją Polską S.A., ale to nie jest możliwe, niestety.

*

Przyjechał Adam. Tak mnie mocno przytulił, że mało mi żebra nie weszły w moją nadwagę.

– No i co? – zapytał głupio.

– W porządku – odpowiedziałam i marzyłam o tym, żeby mnie trochę odstawił od piersi.

Ależ te chłopy są nienormalne.

– Boże, jak się cieszę! – i zaczął mnie tak całować, jak nigdy przedtem.

To fascynujące, że tak mało – okazuje się – wiem o takich różnych rzeczach związanych z całowaniem itd. Szczególnie z tak dalej.

– Chcesz o tym pogadać?

No głupi, przecież widzę, że się cieszy, on widzi, że się cieszę, to o czym tu gadać! Spędziliśmy bardzo przyjemną noc. Spaliśmy dwie i pół godziny.

Oj, mamo, żebyś ty wiedziała... O ojcu nie wspomnę...

*

Moje urodziny! Przyjechali wszyscy. Mańka wniebowzięta z nim, Grzesiek z Agnieszką, Krzysztof, matematyk, przyjaciółka z dzieciństwa i trzydzieści osiem innych osób. A na dodatek przejechała ta dziewczyna na białym koniu, co tu jeździ przez całe lato, i pomachała mi. Od razu pomyślałam życzenie. Nie powiem – jakie.

Adam był ujmująco miły dla wszystkich, robił drinki, rozmawiał normalnie z ludźmi i przyznał mi rację, że Ewa jest rzeczywiście śliczna! Doprawdy, tego już było za wiele. A właśnie że będę przez resztę wieczoru wredną, złośliwą suką. Przecież mógł zaprzeczyć. Ale Adam, zamiast się denerwować moimi cudownymi bon motami rzucanymi ot, tak sobie tu i ówdzie na temat mężczyzn jako brakującego ogniwa nieudanej ewolucji nieudanego faceta, co właśnie możemy naocznie sprawdzić, śmiał się najgłośniej i bezczelnie chwalił moje poczucie humoru. Doprawdy, bardzo dobrze, że się nie zgodziłam, żebyśmy moje urodziny spędzili tylko sami, we dwójkę.

Zasunęłam więc z grubej rury. Przypomniałam sobie, że Eksio się na mnie strasznie obraził, jak kiedyś powiedziałam w towarzystwie dowcip. Przychodzi baba z facetem do lekarza i mówi, że mąż z nią nie sypia. Lekarz każe jej zaczekać na korytarzu i mówi do faceta: ,,Wie pan, nie jest dobrze, jeśli pan nie zacznie sypiać z żoną – ona umrze". Facet wychodzi do żony, ona doskakuje do niego i pyta: ,,No, co ci powiedział?" A on macha ręką i mówi: ,,No, że umrzesz!"

Eksio się do mnie przez trzy dni nie odzywał, że go tak przy ludziach obrażam.

Więc teraz sięgnęłam do zasobów pamięci, która na ogół odmawia mi posłuszeństwa, i opowiadam ten dowcip. Wszyscy się śmieją. A co robi Adam? Podchodzi do mnie, przytula się bezczelnie i mówi:

– No, to ty będziesz żyć wiecznie!

I wszyscy się ze mnie śmieją!

A na dodatek Grzesiek mówi do Adama, świnia jedna:

– Ty z nią uważaj, ona jest kastrująca.

Och, mam dosyć uwag na mój temat przy moich własnych trzydziestych siódmych urodzinach. Być obrażaną! I nikt nie stanie w mojej obronie, jak zwykle. Chcę się wyrwać Adamowi, ale trzyma mnie, socjolog jeden, mocno i mówi:

– To właśnie w niej lubię. Ale ja nie należę do mężczyzn, którzy pozwolą sobie coś oberżnąć.

Wyrywam mu się i biegnę do kuchni, nienawidzę go z całego serca. A on wchodzi za mną do tej kuchni i całuje mnie, zanim w ogóle mogę cokolwiek powiedzieć. Cham jeden, matko święta, jak on całuje, na cholerę mam gości, przecież moglibyśmy teraz być sami i sobie spokojnie pić szampana i w ogóle, kiedy oni sobie pójdą, przecież już siedzą z pół godziny, ludzie w ogóle nie mają wyczucia czasu ani miejsca, ani akcji, ani reakcji, dlaczego ten facet tak na mnie działa, w ogóle nie chcę, żeby mi trzymał rękę na szyi i mnie jeszcze przyciskał, zaraz wszyscy się dowiedzą, że mi piersi dęba stanęły, tylko niech mnie nie wypuszcza z rąk, jeszcze tylko troszeczkę, ostatecznie znakomicie się tam sami bez nas bawią...

O, tak... To były naprawdę fantastyczne urodziny.

*

Ustalamy z Adamem:

Że nie będę musiała codziennie gotować na wezwanie, bo jesteśmy w partnerskim związku i się wspomagamy oraz wyręczamy.

Że nie ma robót typowo męskich i damskich. Z tym że cięższe roboty wykonuje Adam, bo ja jestem kobietą.

Adam będzie mył czasami okna, za to ja nie dotknę samochodu w celu zmiany koła, przeglądu, wypychania z błota. Nie będę sprzątać po Adamie w łazience. Nie będę dotykać jego maszynki do golenia, chyba że mi się skończą moje.

Że mogę nosić jego zieloną koszulę, bo i tak lepiej niż on w niej wyglądam, a na niego i tak jest prawie za mała, ale on nie będzie nosił moich rzeczy, takich na przykład, jak moje grube skarpety z Zakopanego. I nigdy, ale to nigdy bez mojej wiedzy nie dotknie mojego komputera. I nigdy mnie nie okłamie. Bo nawet najgorsza prawda jest lepsza niż najlepsze kłamstwo. Nigdy już nie chcę być oszukiwana.

Adam cały czas się śmiał. Powiedział, że świetnie negocjuję – ma być tak i tak, ale w załączniku do umowy jest zawsze, że może mi się coś odmienić, a jemu nie może.

Ma się wprowadzić w piątek. Z rzeczami. Na razie malujemy kuchnię i hydraulik przesuwa zlew, bo musi się zmieścić stół, a do gościnnego idą rzeczy Adama. Bo mieszkanie Adama się wynajmie.

*

W czwartek nastąpiła katastrofa. Wszystko na nic. Wiedziałam, że mężczyźni są beznadziejni. Adam niczym się nie różni od Eksia. Jest gorszy od Hirka. Nie chcę się do nikogo odzywać. Nikomu już nigdy nie uwierzę.

*

Gdybyśmy w czwartek w nocy nie poszli do Uli i Krzysia na grill od razu po posprzątaniu kuchni – wszystko ułożyłoby się inaczej. Gdyby na ten grill Krzyś kładł ryby, zamiast piersi kurzych, byłabym szczęśliwą, nieświadomą niczego kobietą. Ze złudzeniami. Ale skończyliśmy przesuwać meble o dziesiątej. Krzyś zadzwonił i powiedział, że siedzą na tarasie. A my jeszcze nie mieliśmy wody w kuchni, bo hydraulik zapomniał czegoś podłączyć. Złączki czy kolanka. Więc Krzyś powiedział, żebyśmy przyszli na kolację do nich. I kiedy kładł te piersi na grillu, Ula powiedziała do Adama:

– Teraz będziesz miał nieźle. Jutka jest specjalistką od kurczaka. Robi świetnego w ananasach i w winie, i w pietruszce, ze śliwkami suszonymi i czarnym pieprzem, i nadziewanego farszem z owocami i...

– Takiego wigilijnego? – dodaje pytająco Adam.

Ula nawet tego nie zauważyła, ale niestety zauważyłam ja.

– Co powiedziałeś? – powiedziałam i mrozem się rozlało po tym tarasie, naszych ogrodach, drzewach, polach, bażantach. Zeszkliło cały świat i mróz przeleciał mi po kościach.

– O co ci chodzi? – Nawet Ula straciła pogodę w oczach. – Mogę już nie mówić więcej...

Niestety, nie mogłam już się powstrzymać. Nie obchodziło mnie, że Ula i Krzyś siedzą obok. Patrzyłam prosto w oczy Adama. Spuścił wzrok.

– Pytam, co powiedziałeś – moim głosem można by kroić boczek na przezroczyste plasterki. – Jakiego kurczaka?

Krzyś przypomniał sobie, że musi natychmiast gdzieś zadzwonić, Ula też się podniosła, żeby natychmiast nastawić wodę na herbatę, bo okazało się, że jest nagle straszliwie spragniona.

Adam nie patrzył mi w oczy. Wszystko było jasne. Grzebał w moim komputerze. Czytał wszystko. Wszystkie moje listy i artykuły. Wszystkie moje felietony. Listy do Niebieskiego. Jedyna zasada, na której opierałam cały świat, już została złamana: skłamał. Serce mi pękło na pół. Albo na milion milionów kawałków. Jak mogę być z człowiekiem, który jeszcze ze mną nie mieszka, a już nadużył mojego zaufania?

Podniosłam się. Adam podniósł się także. Ula i Krzysztof nie zawołali nas. Tosia już spała. Borys spojrzał na mnie i umknął pod stół w kuchni.

I wtedy powiedziałam Adamowi, że mi przykro, ale nic z tego. Nie mogę niestety nawet próbować żyć z facetem, który mnie oszukuje. Że wiedział, że to najgorsza rzecz, jaką mi mógł zrobić – bo dostatecznie poznał mój życiorys. Że wszystko inne bym wybaczyła, ale kłamstwa – nie. Nie, nie, nie! Że jeśli w swoim własnym domu nie mogę mieć prawa... że nie spodziewałam się, że jeśli zaczynamy od kłamstwa, to... itd. itd.

Gula w gardle rosła mi i rosła. Miałam wrażenie, że za chwilę mnie zadławi. Jeszcze jedno słowo, i umrę.

Adam podszedł do mnie i powiedział:

– Ja ci wszystko wytłumaczę...

I wtedy wybuchnęłam. Że mam dosyć tłumaczeń. Że jestem tylko człowiekiem i chcę być traktowana jak człowiek. Że mnie zawiódł jak nikt inny na świecie i nigdy więcej go nie chcę widzieć.

I wtedy on, zamiast mi coś wytłumaczyć mimo wszystko, po raz pierwszy podniósł na mnie głos i krzyknął:

– Przecież wiem, że marzysz o tym cholernym rycerzu na białym koniu! A ja nie jestem jakimś cholernym rycerzem! Twoich marzeń nie jest w stanie zaspokoić nikt. Nawet ja. Nie pozwoliłaś mi dojść do głosu, kiedy chciałem ci wszystko powiedzieć, nie widzisz nic poza własnym pępkiem. Może jak się trochę uspokoisz, to porozmawiamy. I na dodatek to ty mnie okłamałaś, że zajrzałaś do własnej skrzynki e-mailowej! Więc jak zdecydujesz się na rozmowę taką, jaka na ogół bywa między dorosłymi ludźmi, to zadzwoń!

Jeszcze myślałam, że nie zdecyduje się pojechać. Nie ruszyłam się z miejsca. Oto wyszło szydło z worka! Będzie mi wykłuwał oczy moimi marzeniami i zwierzeniami – z moich listów do Niebieskiego, i to też przez pomyłkę, jak wiadomo, tam przesłanych! I zarzucał mi kłamstwa! W tak drobnej sprawie! Nigdy więcej żadnych mężczyzn!

A jednak pojechał!

Siedziałam jak sparaliżowana. Ula weszła przez tarasik. Borys dalej siedział pod stołem.

– Co cię ugryzło? – powiedziała Ula.

Poszłam do kuchni i otworzyłam szampana, którego kupiliśmy z Adamem na jutro. I otworzyłam. Przyniosłam dwa kryształowe kieliszki kupione od Rosjan pod dworcem.

– Napijmy się – powiedziałam, nalewając szampana – zaczynam nowe życie.

A potem się rozpłakałam, niestety.

Wiedziałam od początku

W ten sposób skończyła się moja wielka miłość. Dojrzała. Taka, co to już się nie przewróci na żadnym zakręcie, bo wie, czego unikać.

Tosia powiedziała, że się nie spodziewała, że ma matkę idiotkę. Rozpłakałam się. Ula powiedziała, że nie mogę zachowywać się jak dziecko – rozpłakałam się. Moja mama zadzwoniła i zapytała, co słychać – rozpłakałam się. Była wstrząśnięta. Mój ojciec zadzwonił i zapytał, dlaczego moja matka jest wstrząśnięta, ale nie mogłam mu powiedzieć, bo płakałam. Zadzwonił mój brat, do którego zadzwonił mój ojciec, żeby zapytać, co się stało. Nie mogłam mu powiedzieć, bo płakałam. Był wstrząśnięty.

Adam nic nie powiedział, bo nie zadzwonił.

*

Leżałam koło Borysa i płakałam. Jak on mógł okazać się taką świnią? I żeby nawet nie zadzwonić? Nie kochał mnie. Po prostu mnie nie kochał. Wiedziałam od początku.

Weszła Tosia i zobaczyła mnie w takim stanie. Powiedziała:

– Nie rozbawisz psa, merdając jego ogonem.

Nie rozumiem.

*

Widziałam dzisiaj jego samochód pod Ulą. Potem Ula powiedziała, że chciałaby ze mną porozmawiać, ale powiedziałam jej, że jeśli o Adamie, to nie mamy o czym mówić. I rozpłakałam się.

*

Nie mogę spać. Nie mogę jeść. Zawsze chudnę, kiedy ktoś mnie zdradzi. Nigdy mnie nikt tak bardzo nie zranił jak Adam. Pal licho, że czytał moje własne pliki, mógłby się przynajmniej pokajać. A teraz jasno widać, że szukał pretekstu do zerwania. Bał się związku. Właśnie dzień przed wprowadzką. Jakie to statystyczne!

Nienawidzę facetów.

*

Przewracałam się dzisiaj do drugiej w nocy. O drugiej wstałam, zrobiłam sobie kanapeczkę. Nie smakowała mi. Dałam Borysowi. Nie mogłam czytać. Włączyłam komputer i grałam w taką grę, co to odbija się piłeczka. Świetna gra na mój stan ducha. Jedyna. O trzeciej tak na wszelki wypadek połączyłam się z Telekomunikacją. ,,Odebrano siedem wiadomości. Wiadomości nieprzeczytane: siedem".

Boże, co ja narobiłam?

Wiadomość pierwsza, Niebieski:

Naprawdę bardzo zależy mi na spotkaniu. Proszę, niech pani odpisze.

Wiadomość druga, Niebieski:

Pani Judyto, nie chcę nadużywać pani cierpliwości, ale byłoby dobrze dla nas obojga, gdybyśmy się jednak spotkali.

Och, Niebieski, przy tobie inaczej wyglądałby świat. Ty ze swoją paranoją na temat żony przynajmniej byłeś uczciwy.

Wiadomość trzecia, Niebieski:

Poznałem wyjątkową kobietę. Czy będę mógł się z panią tym podzielić? Jeśli nie, proszę o odpowiedź.

Wiadomość czwarta, Niebieski:

Poznałem wyjątkową kobietę, ma na imię Judyta.

O, to tak jak ja...

Co mam zrobić, żeby jej nie stracić?

Wiadomość piąta, Niebieski:

Jutka, nie wiem, dlaczego nie chcesz ze mną rozma-
wiać, nie chcę, żeby były między nami niejasności. Może
łatwiej będzie w ten sposób. To ja napisałem te listy
o zdradzie.

Idiota. Przecież wiem, że nie ja, tylko ty, Niebieski
Paranoiku.

Robiłem badania, jakie jest przyzwolenie społeczne
na przykład na zdradę. I okazało się, że kobiety i mężczyź-
ni inaczej reagują. Napisałem do trzydziestu dwóch re-
dakcji. Jako zdradzany facet i jako zdradzana kobieta. To
było fascynujące doświadczenie. Ty odpisałaś w imieniu
redakcji na list mężczyzny i kobiety – zupełnie inaczej.
Swoją drogą, to ciekawe, jak różnie, w zależności od płci,
reagujemy na różne zachowania.
A twoje listy podobały mi się. Strasznie chciałem Cię
poznać. Niestety jako korespondent twojej gazety nie
miałem na to szans. Szukałem z tobą kontaktu, wreszcie
udało mi się znaleźć zlecenia w twojej redakcji – wspo-
mógł mnie kolega psycholog, który u was konsultuje czy-
telników.
Kosztowało mnie to sporo trudu. Czy teraz rozu-
miesz, jak bardzo mi na tobie zależy? Nie wiem, dlaczego
ucinasz mnie, gdy chcę Ci o tym powiedzieć. Mam na-
dzieję, że będziemy mogli się zaprzyjaźnić. Naprawdę,
nie jestem taki okropny. Nawet moja była żona może to

potwierdzić. Może Ci być głupio, przez ten pomyłkowo do mnie wysłany list. A to było super. Poczułem się jak kobieta. I chyba się w tobie zakochałem. Nie jak kobieta.

Wiadomość szósta, Niebieski:

Kocham Cię, kocham Cię, kocham Cię. Wracam jutro.

Wiadomość siódma, Niebieski:

Rozumiem, że na razie nie chcesz o tym mówić. Czy jak przeniosę do Ciebie swój komputer, to będę mógł wysyłać Ci czasem coś bardzo miłego? Na przykład planować, co będę z tobą robił dziś wieczorem? To takie podniecające! Pozdrowienia dla Tosi, Borysa, Zaraza, Potema, Znajdy i nie wiem, czy nie znalazłaś jeszcze paru zwierząt od wczoraj, więc jednym słowem, dla was wszystkich.

*

Kręci mi się w głowie. Nic nie rozumiem, nic nie rozumiem, nic nie rozumiem. Nalewam sobie koniaku. Potem nalewam sobie ouzo przywiezionego z Cypru. Nie rozumiem!

Ależ ze mnie idiotka! Wszystko stracone. Wie, jaka jestem beznadziejna. I kłamię. Ma rację. Zawsze miał rację. Konia mi się chce białego, i nic nie jestem w stanie widzieć poza tym! Nie mogę do niego napisać. Nie mogę do niego zadzwonić. Wszystko na nic. To już koniec. Nie wybaczy mi takiej głupoty. I jeszcze go obraziłam. I wyrzuciłam. I powiedziałam, że go nie kocham. O matko, a to Niebieski! Adamie Niebieski, zrobię ci wigilijnego kurczaka i dam ci milion dzwoneczków, i wszystko... ale nie zadzwonię.

Przecież nie mogę zadzwonić o czwartej rano. O czwartej rano natomiast mogę napić się ouzo. Jest pyszne. Bardzo, ale to bardzo pyszne. Jak się troszkę człowiek napije ouzo, to może nawet wysłać e-maila. O piątej rano udaje mi się zidentyfikować napis na górze: „odpowiedź zwrotna". Eeee tam, trudno, jeszcze jedno maleńkie ouzo i normalnie, jak gdyby nigdy nic, wyślę, ale tylko jedno maleńkie zdanie, które mnie skompromituje na zawsze, on nigdy nie wróci, bo to nie jest mężczyzna, który zadaje się z kłamliwymi oszustkami z nadwagą, problemami z hydraulikiem i włosami na piersiach psa, piersiach psa, rzecz jasna. To musi być bardzo mądre i dobre zdanie:

Nie rozpuszczaj się w deszczu, Niebieski Adasiu...

O czwartej trzydzieści na ekranie widzę napis: „Gdy wyślesz wiadomość e-mail, zostanie ona umieszczona w folderze «Skrzynka nadawcza» i będzie wysłana po wybraniu polecenia «wyślij i odbierz»". Naciskam OK. I troszkę ouzo wypijam. Teraz mam na ekranie podwójny napis: „W twojej skrzynce nadawczej znajdują się niewysłane wiadomości, czy chcesz je wysłać teraz?"

O, tego to ja nie wiem. Nie powinnam ich wysyłać. Wszystko zniszczyłam. Zawsze wszystko niszczę. Dobrze, że Eksio sobie poszedł do Joli. Która nie jest gruba w ogóle. Dobrze zrobił, niegłupi chłopak. Całkiem niegłupi był. Mogę się napić troszkę ouzo. Pachnie anyżkiem i Cyprem. Uwielbiam Cypr. Uwielbiam Niebieskiego. Już zawsze będę go kochać, aż umrę i on się dowie na moim trupie, że go tak kochałam i że byłam taka głupia.

Naciskam OK. Telekomunikacja łączy mnie za pierwszym razem. Taka sprytniutka... Bo jest piąta rano. Jeszcze tylko łyczek ouzo i mogę zasnąć na zawsze. Bo jutro jest niedziela. Przed niedzielą ouzo nie szkodzi w ogóle...

*

Boże, dlaczego ktoś tak strasznie głośno dzwoni? O mamo moja, nigdy więcej anyżku, kto to dzwoni tak rano? To nie telefon! Zdejmuję nogi z łóżka. Pokój się troszkę waha w lewo i prawo. To domofon. O świcie? W niedzielę? Patrzę na zegarek. Pierwsza. Idę do kuchni. Dlaczego Tosia nie może otworzyć i powiedzieć, że umarłam?

A, Tosia miała mecz siatkówki o jedenastej. To poszła.

Jestem kompletnie pijana. Muszę być kompletnie zalana. A przed furtką widzę białego konia. Jestem pijana, jestem pijana. Chowam się za szafkę. Jeszcze raz patrzę. Na koniu siedzi Adam. Uzdę trzyma dziewczyna w toczku, ze szpicrutą w ręku.

To omamy. Nie ma białych koni. Są białe myszy. Nigdy w życiu nie tknę alkoholu. Wolniutko idę do przedpokoju. Dzwonek. Mam omamy słuchowe. Bo omam wzrokowy nie może dzwonić domofonem. Wracam do kuchni.

Stoją tam we trójkę. Koń biały, przy uździe dziewczyna w toczku, on. Trzy omamy.

Naciskam dzwonek. Wchodzą. Wszyscy troje. Otwieram drzwi.

Adam zsuwa się z siodła. Pierwszy raz w życiu siedział chyba na koniu. Borys radośnie podskakuje do drzwi, kuli ogon pod siebie i podcina mi nogi, gdy szukam ratunku w panicznej ucieczce. Padam na trawę. W koszuli nocnej. O pierwszej w południe. Przy obcej kobiecie. Właściwie ziemia pachnąca anyżkiem wpada troszkę na mnie.

Adam podnosi mnie i całuje. Boże, niech mnie nie całuje, nawet jak wymyję zęby osiemdziesiąt razy. Pani z toczkiem się śmieje. Ale ładna!

– No, to masz tego swojego białego konia. Pani była tak uprzejma, że zgodziła się go na chwilę pożyczyć. Ale to ostatni raz, przysięgam, bardzo dziękuję, pani się śmieje, chyba myśli, że ma do czynienia z idiotami.

Trzymam mocno Adama, niech nie próbuje być uprzejmy dla tej pani, o nie, tak się cieszę, tak mi się chce pić, Boże, jaka jestem głupia.

Koń wychodzi, Borys zaczyna wrzeszczeć, nigdy w życiu nie szczekał tak głośno, muszę koniecznie wypić jakiś soczek, Adam obejmuje mnie w pasie, dobrze, że trochę schudłam, i mówi:

– Miła dziewczyna, nie?

A oczy mu się śmieją.

Jaka miła dziewczyna! Na pewno nie jest miła, może nawet chorowała na ospę, albo niech najlepiej ma trądzik, i w ogóle niech nie będzie taka ładna znowu, i wysyłam jej siedem błogosławieństw, siedem największych błogosławieństw.

*

Boże Narodzenie. Mama z tatą pojechali do mojego braciszka, chyba kochają go bardziej. Pojechali, bo uważają, że nie trzeba się mną zajmować, i myślą, że skoro wzięłam się za siebie, to oni wezmą się za niego. Życie jest niesprawiedliwe.

Zjedliśmy kolację – to nasze pierwsze wspólne święta. Teraz przyszła Ula z Krzysiem i z córkami. I gitarą. Będziemy siedzieć przy choince i serniku i śpiewać kolędy. W domu jest ciepło, w kominku napalone, sernik na stole. Prawdziwy – z normalnego masła, jaj wiejskich, tłustego sera itd. Bardzo niezdrowy.

Adam zachwycony. Krzyś brzdąka na gitarze. Adam otwiera czerwone wino.

Ula idzie za mną do kuchni i mówi:

– A tak się zarzekałaś, że nigdy więcej mężczyzn, że wszyscy oni są tacy sami!

No, głupia jakaś, czy co?

Przecież on jest inny niż wszyscy.

Spis treści

Książki oraz bezpłatny katalog
Wydawnictwa W.A.B.
można zamówić pod adresem:
ul. Nowolipie 9/11
00-150 Warszawa
fax: (22) 635 15 25
e-mail: wab@wab.com.pl
http://www.wab.com.pl

Redakcja: Donata Lam
Korekta: Magdalena Stajewska, Anna Drozdowska,
Maria Kaniewska
Redakcja techniczna: Urszula Ziętek

Projekt okładki: Maciej Sadowski
Zdjęcie na IV stronie okładki: © Marian Modzelewski

Wydawnictwo W.A.B.
ul. Nowolipie 9/11
00-150 Warszawa
tel./ fax 635 15 25
tel. 635 75 57
e-mail: wab@wab.com.pl
http://www.wab.com.pl

Skład:
Komputerowe Usługi Poligraficzne, s.c.
ul. Żółkiewskiego 7, Piaseczno, tel. 756 74 81
Druk i oprawa:
Drukarnia Wydawnicza im. W. L. Anczyca S.A. Kraków

ISBN 83-88221-55-8